D0808726

Andromaque

RACINE

Andromaque

●

PRÉSENTATION

NOTES

DOSSIER

BIBLIOGRAPHIE

GLOSSAIRE

par Arnaud Welfringer

CHRONOLOGIE

par Marc Escola

GF Flammarion

Arnaud Welfringer, agrégé de lettres modernes, est spécialiste du XVIIᵉ siècle et de théorie littéraire. Il enseigne au lycée René-Cassin de Gonesse et est chargé de cours à l'université Paris III-Sorbonne Nouvelle. Il est également membre de l'équipe Fabula (www.fabula.org).

© Flammarion, Paris, 2015.
ISBN : 978-2-0813-4957-5
Nº d'édition : L.01EHPN000683.N001
Dépôt légal : mai 2015

Andromaque a d'emblée été considérée comme le premier chef-d'œuvre de Racine : la pièce, qui eût le très rare privilège d'être créée devant Louis XIV et la cour le 17 novembre 1667, obtint un triomphe, avant de connaître dès les jours suivants le même succès lors de ses représentations au théâtre de l'Hôtel de Bourgogne à Paris. Comme le note Charles Perrault, « cette tragédie fit le même bruit à peu près que *Le Cid*, lorsqu'il fut représenté [1] ». Le jeune dramaturge de vingt-sept ans était jugé digne, dès sa troisième pièce, d'être comparé à celui que l'on n'appelait plus alors que « le grand Corneille », et dont le magistère théâtral s'exerçait, incontesté, depuis près de trente ans.

Andromaque fit aussi du « bruit » en suscitant une querelle dont rend compte, en même temps qu'elle l'alimente, une comédie jouée par Molière et sa troupe dès le 25 mai 1668. *La Folle Querelle ou la Critique d'Andromaque*, d'Adrien Thomas Perdou de Subligny, met en scène les disputes suscitées par la tragédie [2]. Les très nombreuses critiques qu'il y formule portent aussi bien sur l'agencement de l'intrigue et l'élaboration des personnages que sur l'expression ; Subligny reconnaissait néanmoins que Racine – à condition toutefois de travailler davantage la prochaine fois... – pourrait être capable de

---

1. Perrault, *Les hommes illustres qui ont paru en France pendant ce siècle*, t. II, A. Dezallier, 1700, p. 81.
2. Voir Dossier, 2.

rivaliser avec Corneille. La même année, Saint-Évremond admettait aussi qu'avec cette pièce, « à tout prendre, Racine doit avoir plus de réputation qu'aucun autre, après Corneille [1] » – sans pour autant se dispenser de très fortes réserves.

Près de vingt ans plus tard (et dix ans après que Racine eut mis un terme à sa carrière théâtrale), l'érudit Adrien Baillet concluait la polémique en observant qu'*Andromaque* « est maintenant de toutes ses pièces celle que la cour et le public revoient le plus volontiers, de sorte que les connaisseurs semblent lui donner le prix sur toutes les autres [2] ». Cette reconnaissance unanime n'a pas été invalidée par la postérité. *Andromaque* est la pièce de Racine la plus souvent jouée depuis le XVIIᵉ siècle, et il est peu de metteurs en scène d'importance qui ne l'aient montée [3].

D'où vient ce privilège de longue date accordé à *Andromaque* sur le reste de la production théâtrale de Racine, alors que les critiques s'attaquèrent à tous les aspects de la pièce ? Faut-il l'imputer à la révolution théâtrale qu'elle constitue ? Pourtant ses tragédies ultérieures en perfectionneront la formule, de *Britannicus* (1669) qui, selon son auteur, fut celle qu'il avait « le plus travaillée [4] », jusqu'à *Phèdre* (1677), dont le dramaturge

---

1. Saint-Évremond, Lettre au Comte de Lionne (mars ou avril 1668), dans *Lettres*, t. I, éd. René Ternois, Didier, 1967, p. 140-141. Voir Dossier, 3.
2. Baillet, *Jugements des savants sur les principaux ouvrages des auteurs*, t. V, A. Dezallier, 1686, p. 414.
3. Citons, pour le dernier demi-siècle, les mises en scène de Jean-Louis Barrault (Odéon, 1962), Antoine Vitez (théâtre des Quartiers, Ivry, 1974), Jean-Paul Roussillon (Comédie-Française, 1974), Patrice Kerbrat (Comédie-Française, 1981), Anne Delbée (Athénée, 1984), Roger Planchon (TNP, Lyon, 1989) et Muriel Mayette (Comédie-Française, 2010). Certains, comme Daniel Mesguich, y sont même revenus plusieurs fois (Biothéâtre, 1975 ; Théâtre national, Lille-Tourcoing, 1992 ; Comédie-Française, 1999).
4. Racine, *Britannicus*, Seconde préface de 1676, éd. Jacques Morel, GF-Flammarion, 2010, p. 27.

n'était pas loin d'affirmer fièrement qu'il s'agissait de « la meilleure de [s]es tragédies [1] ».

L'explication réside peut-être dans cette observation d'un professionnel du théâtre, Pierre-Aimé Touchard : « on ne peut dire quel est le rôle central d'*Andromaque*. Est-ce Hermione, ou Pyrrhus, ou Oreste, ou Andromaque [2] ? ». C'est l'effet de la fameuse « chaîne amoureuse » qui lie ces personnages entre eux : Oreste aime Hermione, qui aime Pyrrhus, qui aime Andromaque, qui aime Hector, qui est mort. Grâce à cette chaîne, et à la différence des autres tragédies de Racine, *Andromaque* offre pas moins de quatre rôles d'importance comparable. Mais cette difficulté à identifier le « rôle central » et donc l'action d'*Andromaque* est aussi l'un des principaux défauts de la pièce au regard de la dramaturgie classique, qui exige, comme on sait, l'unité d'action – nous y reviendrons. L'exceptionnelle fortune d'*Andromaque* tiendrait-elle à ses imperfections ?

LA « RÉVOLUTION » D'*ANDROMAQUE*

La critique moderne a quant à elle longtemps attribué la réussite d'*Andromaque* à cette chaîne amoureuse, dont la mécanique implacable vouerait les protagonistes à la frustration et à la violence, et permettrait à Racine de développer une conception nouvelle et personnelle du tragique. Le destin, jusque-là puissance extérieure à l'individu, s'intérioriserait sous la forme de la passion, qui précipite inéluctablement les personnages vers la mort ou la folie. Un vers d'Oreste serait l'emblème de ce tragique : « Je me livre en aveugle au destin qui m'entraîne » (v. 98). Paul Bénichou voyait ainsi dans

---

1. Racine, *Phèdre*, Préface, éd. Boris Donné, GF-Flammarion, 2000, p. 69.
2. Pierre-Aimé Touchard, *L'Amateur du théâtre ou la Règle du jeu*, Seuil, 1952, p. 101.

Andromaque un « drame brutal de l'instinct », qui rompt avec une conception de l'amour comme dévouement à l'être aimé :

> L'amour tel qu'il apparaît dans les deux personnages principaux d'*Andromaque* n'a plus rien de commun avec le dévouement : c'est un désir jaloux, avide, s'attachant à l'être aimé comme à une proie [...]. Le comportement le plus habituel de cet amour, dans lequel la passion de posséder est liée à une insatisfaction profonde [...] est une agressivité violente à l'égard de l'objet aimé, sitôt qu'il fait mine de se dérober. L'équivalence de l'amour et de la haine [...] est au centre de la psychologie racinienne de l'amour... [1].

Mais d'où vient cette inédite « équivalence de l'amour et de la haine » que découvrirait Racine ? Au reste, est-ce bien la peinture d'une vérité psychologique que recherche un auteur de tragédie ? Cette interprétation n'est de surcroît possible qu'à considérer Hermione et Pyrrhus comme « les deux personnages principaux » : Andromaque, bien loin de manifester quelque « agressivité violente », serait-elle donc un personnage secondaire dans la tragédie qui porte son nom ? Et que penser de la transformation d'un vers qui, pendant trente ans, avant l'ultime réédition de la pièce du vivant de Racine (1697), était : « Je me livre en aveugle au *transport* qui m'entraîne » ?

Le choix d'un sujet, entre galanterie et « goût de l'Antiquité »

Pour saisir quelle est exactement la « révolution » d'*Andromaque*, il faut d'abord comprendre quel dramaturge est Racine lorsqu'il s'apprête à créer sa tragédie [2].

---

1. Paul Bénichou, *Morales du grand siècle*, Gallimard [1948], « Folio Essais », 1988, p. 181-182.
2. Nous suivons ici l'analyse de Georges Forestier : « Notice d'*Andromaque* », dans Racine, *Œuvres complètes*, t. I, *Théâtre, poésie*, éd. Georges Forestier, Gallimard, « Bibliothèque de la Pléiade », 1999, p. 1318-1343 ; *Jean Racine*, Gallimard, « Biographies », 2006, p. 290-

Sa première tentative dans le genre, *La Thébaïde* (1664), avait été un échec. La lutte fratricide à laquelle les deux fils d'Œdipe, Étéocle et Polynice, s'y livraient pour la royauté heurtait le goût des années 1660, qui privilégiait les tragédies « galantes » de Quinault et de Thomas Corneille : celles-ci se caractérisaient par un sujet entièrement consacré à l'amour et mettaient en scène des héros raffinés et dévoués à leur maîtresse. Racine tire les leçons de son échec, et sa deuxième pièce, *Alexandre le Grand* (1666), fait la part belle aux amours du conquérant macédonien. Elle apporte à Racine son premier succès. Mais des spectateurs cultivés comme Saint-Évremond lui reprochent de ne pas avoir « le goût de l'Antiquité [1] » : davantage préoccupé de sa maîtresse que de ses victoires militaires, l'Alexandre de Racine n'avait plus grand-chose de commun avec le chef de guerre dont les historiens antiques avaient rapporté les exploits. Pour obtenir une pleine reconnaissance, Racine devait démontrer qu'il avait bien ce « goût de l'Antiquité », tout en ne pouvant abandonner la manière « galante » qui lui avait donné la faveur du public mondain. Il fallait donc trouver un sujet antique consacré à l'amour, qui lui permît de satisfaire à ces deux exigences.

Or la littérature antique offre peu de tels sujets : parmi eux, l'histoire d'Andromaque telle que Virgile la conte au troisième chant de l'*Énéide*. Andromaque, captive de Pyrrhus forcée de partager son lit jusqu'à avoir un enfant de lui, lui succède sur le trône du royaume d'Épire, après qu'Oreste, furieusement jaloux du mariage d'Hermione avec Pyrrhus, a assassiné celui-ci. Il y avait là de quoi créer un « drame de la passion amoureuse [2] » qui soit

---

320. C'est l'occasion de dire tout ce que doit notre édition aux travaux lumineux de Georges Forestier sur Racine et la tragédie classique.
1. Saint-Évremond, *Dissertation sur le grand Alexandre* [1668], dans *Œuvres en prose*, t. II, éd. René Ternois, Didier, 1965, p. 84. Voir Dossier, 3.
2. Georges Forestier, *Jean Racine, op. cit.*, p. 291.

imité de l'œuvre de l'Antiquité la plus admirée au XVIIe siècle. Cette histoire avait aussi l'avantage de mettre en scène quatre héros très célèbres, et permettait à Racine de montrer son excellente connaissance des modèles grecs et latins.

L'ÉLABORATION DE L'ACTION TRAGIQUE

Georges Forestier a tenté de reconstituer le travail qu'a pu mener Racine sur le récit de Virgile pour composer sa pièce [1]. La poétique du genre requiert d'élaborer une structure en trois étapes logiquement enchaînées – « un commencement, un milieu, une fin » (Aristote) –, qui constitue l'action de la tragédie. Racine devait inventer un lien de cause à effet entre, d'une part, les « amours » passées de Pyrrhus et d'Andromaque et, d'autre part, la jalousie meurtrière d'Oreste à l'égard de Pyrrhus, époux d'Hermione – événements qui ne faisaient que se succéder chronologiquement dans le récit de Virgile. Ce lien, Racine l'a trouvé en imaginant un Pyrrhus amoureux d'Andromaque, et qui par conséquent néglige Hermione. Pour que celle-ci devienne jalouse d'Andromaque, il a fallu ajouter qu'elle aime Pyrrhus. Racine s'éloigne sur ce dernier point d'autres sources antiques, selon lesquelles Hermione, même mariée à Pyrrhus, n'aurait cessé d'aimer Oreste.

La règle classique de respect des bienséances interdisait toutefois à Racine de représenter un roi qui délaisserait son épouse pour une autre femme. D'où cette nouvelle modification : Pyrrhus n'a pas encore épousé Hermione. Mais cette transformation en appelle inévitablement une autre : si Hermione ne lui est plus ravie par Pyrrhus, Oreste n'a plus de raison de tuer celui-ci. Il faut donc lui trouver une nouvelle motivation : c'est Hermione, négligée et jalouse, qui va demander à Oreste, prêt

---

1. Georges Forestier, « Notice d'*Andromaque* », *op. cit.*, p. 1329-1332.

à tout pour elle, de l'assassiner. Georges Forestier a proposé de formuler ainsi l'action élaborée par Racine :

> Pyrrhus doit épouser Hermione qui l'aime, mais il aime Andromaque, « voilà le commencement » ; contrairement à toute attente, il décide d'épouser Andromaque et de rejeter Hermione, « voilà le milieu » ; furieusement jalouse et ulcérée, Hermione demande à Oreste de la venger en tuant Pyrrhus, « voilà la fin » [1].

Ainsi résumée, l'action d'*Andromaque* témoigne de l'effort de Racine pour donner une importance égale à l'ensemble des quatre personnages du récit de Virgile. Hermione occupe désormais une place essentielle, et il ne restait plus qu'à justifier la présence d'Oreste dès le début : en faisant « vivre Astyanax un peu plus qu'il n'a vécu [2] », le dramaturge peut faire d'Oreste l'ambassadeur des Grecs qui réclament sa mort, et donner en plus à Pyrrhus un moyen de pression sur Andromaque.

Au vu de ces profondes modifications, on pourrait s'étonner de ce que Racine affirme que le récit de Virgile constitue « tout le sujet de cette tragédie [3] ». Mais dans la conception de l'imitation créatrice propre au XVIIe siècle, pourvu que le dénouement de l'action principale soit conservé, les événements qui y mènent peuvent être inventés par le dramaturge.

AMOUR OU POLITIQUE : DÉPASSER L'ALTERNATIVE CORNÉLIENNE

En adaptant l'histoire d'Andromaque, Racine a été amené à créer une tragédie d'un type nouveau. Dans ses *Discours sur le poème dramatique* publiés en 1660, Corneille avait formulé l'alternative qui dominait le champ théâtral au sujet de la place à réserver à l'amour :

---

1. *Ibid.*, p. 1331.
2. Seconde préface, p. 18.
3. Première préface, p. 14.

Lorsqu'on met sur scène une simple intrigue d'amour entre des rois, et qu'ils ne courent aucun péril, ni de leur vie, ni de leur État, je ne crois pas que bien que les personnes soient illustres, l'action le soit assez pour s'élever jusqu'à la tragédie. Sa dignité demande quelque intérêt d'État, ou quelque passion plus noble et plus mâle que l'amour, telles que sont l'ambition, ou la vengeance ; et veut donner à craindre des malheurs plus grands, que la perte d'une maîtresse. Il est à propos d'y mêler l'amour, parce qu'il a toujours beaucoup d'agrément, et peut servir de fondement à ces intérêts, et à ces autres passions dont je parle ; mais il faut qu'il se contente du second rang dans le poème, et leur laisse le premier [1].

Corneille réagissait à la mode de la tragédie galante, où le seul danger tient à « la perte d'une maîtresse ». Il lui opposait son propre théâtre, où le péril est politique, et où les passions, plus élevées, sont plus dignes de la grandeur du genre tragique. Sans qu'il s'agisse d'éliminer l'amour : celui-ci est cantonné au « second rang », c'est-à-dire réservé à une action secondaire animée par un couple de « seconds amants », qui ajoute à l'action principale des motivations amoureuses, satisfaisant ainsi le goût du public du XVIIe siècle. L'originalité d'*Andromaque*, que lui ont reprochée ses adversaires, tient à ce que Racine a dépassé l'alternative formulée par Corneille, en inventant une troisième voie. Il innove en ce qu'il ne fait pas de l'amour une motivation secondaire mais la cause directe du « péril de vie ou d'État » et des passions tragiques.

C'est ainsi l'amour qui, frustré et jaloux, déclenche chez Hermione cette passion « plus noble et plus mâle » qu'est « la vengeance ». La critique de Subligny est révélatrice : « M. Corneille aurait ménagé autrement la passion d'Hermione ; il aurait mêlé un point d'honneur à son amour, afin que ce fût lui qui demandât vengeance plutôt qu'une passion brutale [2]. »

---

1. Corneille, *Trois Discours sur le poème dramatique*, éd. M. Escola et B. Louvat, GF-Flammarion, 1999, p. 72.
2. Subligny, « Préface » de *La Folle Querelle ou la Critique d'Andromaque* [1668], rééd. dans Racine, *Œuvres complètes*, t. I, *op. cit.*, p. 262. Toutes les citations de Subligny qui suivent sont issues de cette même page, qu'on lira dans le Dossier, 2.

C'est aussi la passion amoureuse qui dispose Oreste au meurtre, alors que, selon Subligny, Corneille « n'aurait pas manqué à se servir [...] de ce qui fut autrefois la cause de la mort de Pyrrhus, en joignant l'intérêt des Dieux à celui de sa jalousie », afin d'ajouter une raison plus digne du genre tragique à ce meurtre.

Quant à Pyrrhus, il court un double péril du seul fait de sa passion pour Andromaque. D'une part, son amour l'expose directement à la vengeance meurtrière d'Hermione dont il n'a aucune idée, aveuglé qu'il est par la passion – il va, dans son inconscience, jusqu'à confier à sa propre garde la protection d'Astyanax. Là encore, le reproche de Subligny est éclairant : « M. Corneille aurait tellement préparé toutes choses pour l'action où Pyrrhus se défait de sa garde, qu'elle eût été une marque d'intrépidité... » La conception cornélienne de la tragédie aurait exigé que cet abandon de sa garde personnelle soit d'abord motivé par le mépris courageux du péril. D'autre part, en refusant de livrer Astyanax aux Grecs pour fléchir Andromaque, Pyrrhus expose son État au risque d'une guerre inégale. Corneille aurait mis l'accent sur d'autres raisons, proprement politiques : Pyrrhus aurait invoqué fièrement son droit à disposer de son prisonnier, et refusé de se laisser dicter sa conduite par des puissances étrangères. Or Pyrrhus évoque bien ces arguments « cornéliens » dans son entretien avec Oreste (I, 2), mais ce ne sont plus que des prétextes destinés à couvrir sa véritable motivation.

Enfin, la passion amoureuse de Pyrrhus fait peser sur Andromaque le péril qui fournit le dilemme central de la pièce : épouser le fils de l'assassin d'Hector, ou voir Astyanax mourir. Péril de vie et d'État : Astyanax est l'héritier du royaume de Troie – et il est aussi l'avenir de la monarchie française, selon la tradition légendaire qu'évoque Racine [1].

---

1. Seconde préface, p. 19.

QUESTION DE CARACTÈRES

Ce n'était pas la première fois que le théâtre classique mettait en scène un amour qui amenait les personnages à la violence et au meurtre. Mais chez les prédécesseurs de Racine, le personnage meurtrier passionné était un être monstrueux ou détestable, ou sa victime un tyran haïssable. Comme l'a montré Georges Forestier [1], la véritable innovation d'*Andromaque*, sur ce point, tient à ce que la passion amoureuse fait agir les personnages de façon odieuse ou criminelle *sans qu'ils cessent pour autant d'être d'authentiques héros*.

C'était prendre le contrepied de la façon dont les dramaturges appliquaient jusque-là les règles, héritées d'Aristote, qui régissaient la fabrique des personnages. Le caractère d'un personnage devait être « convenable » à sa condition (un roi doit agir selon l'idée que le public se fait de ses devoirs) ; il devait aussi être « ressemblant » à l'image que l'Antiquité a léguée de lui ; et il devait être « constant », c'est-à-dire cohérent tout au long de la pièce [2].

L'intrigue d'*Andromaque* exigeait que Pyrrhus conservât son caractère violent (il doit menacer Andromaque et trahir Hermione). Or l'idée que le public du XVIIe siècle avait d'un roi, de surcroît héros de la guerre de Troie, obligeait Racine à « adoucir un peu la férocité [3] » du personnage. C'est pourquoi il lui a attribué aussi les traits d'un amant éperdu et raffiné à la mode galante. Hermione devait conserver « la jalousie et les emportements » qui motivent sa décision meurtrière ; mais la dignité attendue d'une princesse interdisait qu'elle fût continûment caractérisée ainsi. Racine a donc fait de sa vengeance un égarement ponctuel de sa passion. Pour Oreste, le meurtre d'un roi légitime risquait de

---

1. Georges Forestier, « Notice d'*Andromaque* », *op. cit.*, p. 1319.
2. Voir Dossier, 3.
3. Première préface, p. 14.

le rendre odieux au public : il devait rester un héros, à la fois par fidélité à l'image du personnage léguée par l'Antiquité (Oreste est le héros de nombreuses tragédies grecques) et par bienséance (Oreste, roi lui aussi, ne doit pas agir en lâche assassin). D'où les scrupules du personnage (IV, 3 et V, 2), qui contribuent à le rendre partiellement innocent.

Racine a ainsi été conduit à élaborer des « personnages à double face, c'est-à-dire alternatifs et contradictoires[1] », inédits dans le théâtre classique. À l'inverse de ses contemporains (aussi bien Corneille que les dramaturges galants) qui mettaient en scène des « héros parfaits[2] », il n'a pas fait céder la règle de ressemblance devant celle de convenance ; c'est pour rendre vraisemblable ces ruptures dans la constance des caractères que Racine s'est appuyé sur l'idée, assez banale, que la passion amoureuse pouvait être une force irrésistible. Le succès d'*Andromaque* l'a convaincu que cette formule produisait de puissants effets pathétiques sur le public, et c'est pourquoi il l'a reprise dans ses tragédies ultérieures. Dans sa première préface, écrite après le triomphe de la pièce, Racine justifie en effet sa fidélité à l'image violente de Pyrrhus en s'autorisant d'un raisonnement d'Aristote étranger à la question des caractères, et qui concerne le type de situation propre à produire les émotions tragiques : « il faut [...] que [les personnages] aient une bonté médiocre, c'est-à-dire une vertu capable de faiblesse, et qu'ils tombent dans le malheur par quelque faute *qui les fasse plaindre sans les faire détester*[3] ».

« L'équivalence de l'amour et de la haine » n'est donc pas l'expression d'une « psychologie racinienne de l'amour ». Elle résulte du choix stratégique d'un sujet où les protagonistes étaient à la fois héroïques et animés de

---

1. Georges Forestier, *La Tragédie classique. Passions tragiques et règles classiques*, Armand Colin, « U », 2010, p. 253.
2. Première préface, p. 15.
3. *Ibid.*, p. 16. Voir Dossier, 3 et 4.

passions violentes, de la volonté de démontrer son « goût de l'Antiquité », et de la recherche du plus grand pathétique. Et si Racine a pu élaborer cette formule, c'est qu'elle constituait une combinaison inédite mais possible des critères qui, depuis Aristote, présidaient à la fabrication des personnages de tragédie.

ANDROMAQUE, COMBIEN DE TRAGÉDIES ?

En s'efforçant de donner aux personnages du récit de Virgile une égale importance, et en conservant à chacun d'eux son caractère héroïque capable de susciter la pitié du spectateur, Racine s'est ainsi exposé à une forme de concurrence entre les quatre protagonistes, chacun d'eux étant également susceptible d'être considéré comme *le* héros de la pièce – ou de plusieurs pièces distinctes, qui se partagent la scène.

MAIS QUI A TUÉ PYRRHUS ?

À partir de l'étude des modifications que Racine a apportées au récit de la mort de Pyrrhus, Hélène Baby a pu montrer que l'intrigue d'*Andromaque* est moins parfaitement construite qu'il y paraît[1]. Dans l'*Énéide*, Oreste « surprend son rival sans défense et l'égorge ». Or, au dénouement d'*Andromaque*, Oreste ne porte aucun coup à Pyrrhus : ce sont les Grecs qui l'accompagnent qui le tuent après que Pyrrhus a déclaré reconnaître Astyanax roi des Troyens. Racine récrit le récit du meurtre collectif qui figurait dans l'*Andromaque* d'Euripide, à ceci près qu'il en supprime tout ce qui faisait d'Oreste l'organisateur de ce crime, et, partant, le seul

---

1. Hélène Baby, « Racine sait-il composer ? De l'unité d'action dans la tragédie racinienne », dans Gilles Declercq et Michèle Rosellini (dirs), *Jean Racine 1699-1999*, PUF, 2003, p. 81-98.

véritable coupable [1]. Ce n'est que dans une seconde réplique, après la réaction horrifiée d'Hermione, qu'Oreste en vient tardivement à revendiquer sa culpabilité. En se donnant le premier rôle dans la mort de Pyrrhus, il cherche alors à calmer la jeune femme, dont il interprète à tort la réplique comme l'expression de sa frustration à l'idée que le meurtre n'ait pas été commis en représailles de l'infidélité de Pyrrhus [2]. Faut-il donc croire cette deuxième version, donnée par un jeune amant qui craint de perdre sa maîtresse ? La première, plus fiable, implique que Pyrrhus a été assassiné pour des raisons politiques, indépendantes de la vengeance d'Hermione : la « rage » (v. 1514) des Grecs de voir Pyrrhus ressusciter Troie. Hélène Baby donne un autre résumé d'*Andromaque* :

> L'événement ultime et principal de la pièce, à partir duquel la tragédie racinienne se construit à rebours, est donc l'assassinat de Pyrrhus par les Grecs : Pyrrhus doit épouser la Grecque Hermione qui l'aime, mais il aime la Troyenne Andromaque, « voilà le commencement » ; mais il décide d'épouser Andromaque et de rejeter Hermione, « voilà le milieu » ; ce geste attise la colère des Grecs qui assassinent Pyrrhus, « voilà la fin ». [...] La prétendue perfection mécanique d'*Andromaque* dissimule [...] une intrigue accessoire, celle d'Hermione et d'Oreste. [...] L'amour jeté sur les seconds personnages reste étranger à l'action [3].

La « chaîne amoureuse » recouvre mal le fait qu'*Andromaque* est ainsi faite d'une action principale (Andromaque captive persécutée par Pyrrhus puis reine à la mort de celui-ci) et d'une action secondaire ou « épisode » (Hermione dédaignée par Pyrrhus et aimée d'Oreste) [4]. Comme

---

1. Voir V, 3, v. 1513-1520, p. 96-97. Pour la version d'Euripide, voir Dossier, 1.
2. V, 3, v. 1525-1533, p. 97-98.
3. Hélène Baby, « Racine sait-il composer ? De l'unité d'action dans la tragédie racinienne », art. cit., p. 92.
4. Voltaire le constatait : « Il y a manifestement deux intrigues dans l'*Andromaque* de Racine, celle d'Hermione aimée d'Oreste et dédaignée de Pyrrhus, celle d'Andromaque qui voudrait sauver son fils et être fidèle aux mânes d'Hector. Mais ces deux intérêts, ces deux plans sont

dans toute tragédie au XVIIᵉ siècle, l'unité d'action requise n'est en effet pas une exigence d'unicité, mais d'unification de ces deux actions. L'abbé d'Aubignac, théoricien du genre, hiérarchisait ainsi l'action principale et l'épisode :

> La seconde histoire ne doit pas être égale en son sujet non plus qu'en sa nécessité à celle qui sert de fondement à tout le poème, mais bien lui être subordonnée et en dépendre de telle sorte que les événements du principal sujet fassent naître les passions de l'épisode et que la catastrophe du premier produise naturellement et de soi-même celle du second [1].

Comme l'a observé Jacques Scherer [2], dans le théâtre classique en général et dans celui de Corneille en particulier, la relation est en réalité exactement inverse : l'épisode, loin d'être subordonné à l'action principale, conditionne le déroulement de l'intrigue.

En revanche, dans *Andromaque*, l'action épisodique n'a aucune influence sur l'action principale, et c'est en cela qu'elle respecte mal l'unité d'action. La cause en est la volonté de Racine d'atténuer au maximum la responsabilité d'Oreste : faire mourir Pyrrhus de la main d'Oreste (comme chez Virgile) ou d'un complot perfidement tramé par lui (comme chez Euripide) aurait fait d'Oreste un lâche assassin qui ferait horreur au public, et non un héros tragique digne de la pitié du spectateur au même titre que les autres personnages de la pièce. Ce faisant, tout se passe comme si Racine avait appliqué à la lettre la formule théorique de l'abbé d'Aubignac, contre la véritable « pratique du théâtre », et notamment celle de Cor-

---

si heureusement rejoints ensemble que, si la pièce n'était pas un peu affaiblie par quelques scènes de coquetterie et d'amour plus dignes de Térence que de Sophocle, elle serait la première tragédie du théâtre français » (*Remarques sur le troisième discours de Corneille*, dans *Œuvres complètes*, t. XXII, Hachette, 1893, p. 301).
1. Abbé d'Aubignac, *La Pratique du théâtre* [1657], éd. Hélène Baby, Honoré Champion, « Classiques », 2011, p. 152.
2. Jacques Scherer, *La Dramaturgie classique en France*, Nizet, 1950, p. 100-104.

neille – cela afin de susciter davantage la pitié des spectateurs. Les passions mises en scène dans l'épisode des « seconds amants » que sont Hermione et Oreste en deviennent ainsi d'autant plus pathétiques qu'elles restent sans effet sur l'action. Non sans rendre relativement autonome, par rapport à celle d'*Andromaque*, une possible tragédie d'*Hermione*.

ANDROMAQUE OU HERMIONE ?

La concurrence entre ces deux pièces se manifeste en particulier à l'acte IV. À la fin de la scène 1, Andromaque et Céphise, apercevant Hermione, quittent la scène, qui reste un instant vide. Or la dramaturgie classique interdisait une telle rupture de liaison entre les scènes : il fallait qu'un acteur au moins demeurât sur scène pour accueillir le suivant, afin de donner au spectateur l'impression d'assister à une action continue, comme « en temps réel ». Le procédé adopté par Racine est toutefois toléré sous le nom de « liaison de fuite » ou « liaison de vue ». Mais, dès lors qu'Hermione et Cléone entrent en scène, non pas pour venir trouver Andromaque qu'elles n'ont pas vue, mais pour y recevoir Oreste comme à la scène 1 de l'acte II, la scène 2 de l'acte IV a tout d'un début d'acte – dès le premier mot qu'y prononce Cléone, un « non » comme Racine en emploie pour donner l'impression d'une discussion déjà entamée. L'acte IV commence ainsi deux fois et introduit deux actions distinctes.

Celle d'Andromaque passe désormais à l'arrière-plan. La scène 1, relativement autonome par rapport au reste de l'acte IV, se laisse aisément rattacher à l'acte précédent : Racine fait revenir les mêmes personnages qui avaient fermé l'acte III. La dramaturgie classique condamne également un tel procédé. Il est peu vraisemblable que les personnages puissent accomplir ce qu'ils ont à faire hors de la scène dans le peu de temps que dure l'entracte [1] – ici, aller se recueillir sur le tombeau d'Hector, y trouver l'inspiration, puis aller trouver Pyrrhus pour lui faire part de sa décision, avant de revenir sur scène. Faire tout cela au pas de course conviendrait assez mal à la dignité d'une reine, comme à la gravité que requiert un déplacement sur la tombe d'Hector. Pourquoi donc ce retour des mêmes personnages et la rupture de liaison qui s'ensuit ? Repousser la décision d'Andromaque à l'acte IV permet certes un effet de pathétique et de suspens avant l'entracte. Mais si Andromaque avait formulé dès la fin de l'acte III sa résolution de se suicider, il n'y aurait pas eu moins de pathétique ; le suspens n'aurait pas non plus été nécessairement moins grand, mais il aurait tout entier porté sur la réaction d'Hermione au mariage d'Andromaque et de Pyrrhus [2]. Si Racine a fait revenir Andromaque à l'acte IV, c'est donc surtout pour éviter qu'Hermione soit l'unique objet de l'intérêt du spectateur et que cet acte paraisse entièrement consacré à sa vengeance. Il s'est agi de rendre moins sensible le fait qu'une autre tragédie commence à la scène 2 de l'acte IV, qui, pour être sans effet sur l'action principale, n'en prend pas moins sa place.

D'autant que, dès la deuxième édition de 1673, Racine a supprimé la dernière apparition d'Andromaque à la scène 3 de l'acte V [3]. Ce retour du personnage affaiblissait la tension de la scène : Hermione attendait la fin de la tirade d'Andromaque qui lui apprenait la mort de Pyrrhus puis le long récit d'Oreste pour manifester sa fureur. De plus, Andromaque y déclarait : « Pyrrhus de mon Hector semble avoir pris la place ». Une telle

---

1. D'Aubignac, *La Pratique du théâtre*, III, 5, *op. cit.*, p. 344-346. Voir notre note 1, p. 75.
2. Voir Marc Douguet, « Suspendu au bord de la falaise. Entracte et effet d'attente », communication à la journée d'étude « L'effet propre de la tragédie, de l'humanisme aux Lumières » organisées par Marc Douguet, Ouafae El Mansouri et Servane L'Hôpital, université Paris-VIII, 29 septembre 2012 (texte disponible en ligne).
3. Voir Appendice, p. 105.

fidélité était certes une conduite « convenable » de la part de la veuve d'un roi assassiné, qu'elle l'aime ou non ; mais, longuement développée par Andromaque elle-même, elle risquait d'introduire une rupture dans la « constance » du personnage, jusque-là inexorablement fidèle au souvenir d'Hector, et un défaut de « ressemblance » à « l'idée que nous avons maintenant de cette princesse » que l'on ne connaît « guère que pour la veuve d'Hector [1] ». Racine, à partir de 1673, préfère s'en tenir au récit de Pylade à la scène 5, plus allusif, pour rendre compte de la conduite d'Andromaque. Mais du coup, à partir de la scène 2 de l'acte IV, la tragédie d'Hermione occupe toute la scène jusqu'au dénouement – ou presque.

LA TRAGÉDIE D'ORESTE

Il n'est pas sûr en effet que « l'intrigue accessoire [...] d'Hermione et d'Oreste » identifiée par Hélène Baby soit elle-même bien unifiée. Les « seconds amants » n'évoluent-ils pas dans deux pièces qui, littéralement, communiquent mal entre elles ? À la scène 4 de l'acte IV, Hermione confie à Cléone un premier message pour Oreste :

> Va le trouver : dis-lui qu'il apprenne à l'ingrat
> Qu'on l'immole à ma haine, et non pas à l'État.
>
> (v. 1267-1268)

Mais dès que Pyrrhus paraît, Hermione se remet à espérer, et le message est remplacé par un autre :

> Ah ! cours après Oreste ; et dis-lui, ma Cléone,
> Qu'il n'entreprenne rien sans revoir Hermione.
>
> (v. 1273-1274)

---

1. Seconde préface, p. 18.

Le meurtre est ainsi entièrement suspendu à une entrevue avec Hermione elle-même [1]. Il faut donc supposer une rencontre entre Oreste et Hermione durant l'entracte qui sépare l'acte IV et l'acte V. Or rien n'indique qu'elle a eu lieu [2] : Oreste semble même tout ignorer du contrordre que Cléone est partie lui transmettre. S'il est informé du premier message, dont il reprend le contenu dans la seconde version qu'il donne de la mort de Pyrrhus (v. 1527-1528), il n'évoque ensuite qu'une seule entrevue avec Hermione :

> Ô Dieux ! Quoi ? ne m'avez-vous pas
> *Vous-même, ici, tantôt*, ordonné son trépas ?
>
> (v. 1543-1545)

Si Hermione lui a personnellement renouvelé son ordre, pourquoi Oreste n'en fait-il pas mention pour arguer qu'il avait assez de raisons de penser qu'elle voulait bien la mort de Pyrrhus ? On pourrait certes considérer à l'inverse que le contrordre suivi de son annulation aurait pu faire mesurer à Oreste qu'elle manquait de fermeté ; mais alors comment comprendre sa stupéfaction devant la réaction de celle-ci ? Et Hermione elle-même semble avoir oublié son propre message. Sa dernière tirade est consacrée à montrer à Oreste qu'il ne « fallait [pas] croire une amante insensée » (v. 1545) : pourquoi ne fait-elle aucune allusion à ce contrordre, dont elle aurait pu tirer argument pour prouver le tort d'Oreste ? Oreste évolue ainsi dans une pièce dans laquelle Hermione n'a exigé de lui qu'une fois la mort de Pyrrhus, et où seul le premier des deux messages confiés à Cléone lui a été

---

1. L'entretien ultérieur entre Cléone et Oreste, rapporté à la scène 2 de l'acte V, ne saurait donc s'y substituer ; de fait, il n'a pour motif que de vérifier qu'Oreste est bien disposé au meurtre, comme le montrent les questions d'Hermione (v. 1458-1460).
2. Subligny n'a pas raté l'anomalie : « Oreste [...] ne laissa pas de tuer Pyrrhus, quoique Cléone lui eût été dire qu'il n'en fît rien sans revoir Hermione » (*La Folle Querelle ou la Critique d'Andromaque*, II, 8, *op. cit.*, p. 278).

transmis. En somme, une *Andromaque* dont l'acte IV a pris fin au vers 1270, juste avant l'apparition de Pyrrhus pour la scène 5 : scène inutile, voire nuisible à l'action – du moins à celle de la tragédie d'Oreste.

Cette cinquième scène de l'acte IV est centrale dans la tragédie d'Hermione (comme dans celle de Pyrrhus) : seule confrontation entre ces deux personnages, c'est une « scène à faire », riche de pathétique (après avoir tenté de conserver sa dignité devant Pyrrhus, Hermione s'effondre, et la dernière chance qu'elle lui donne confine au sublime) et pleine d'ironie tragique (les espoirs d'Hermione à l'arrivée de Pyrrhus sont cruellement démentis, et lui-même, aveuglé par sa passion, ne s'aperçoit pas qu'elle tient sa vie entre ses mains). Ces manifestations de la passion d'Hermione alors qu'elle est au comble de l'humiliation préparent son revirement contre Oreste et enlèvent à son projet meurtrier ce qu'il pouvait avoir d'abominable.

Indispensable pour faire d'Hermione une héroïne pathétique, cette scène est en revanche dommageable à la tragédie d'Oreste. Car il faut qu'il soit quant à lui convaincu de la fermeté d'Hermione, sans quoi l'on comprendrait mal que, lui-même hésitant, il s'apprête tout de même à accomplir le meurtre, et qu'il soit ensuite totalement stupéfait du revirement d'Hermione. Davantage : aller au temple pour tuer Pyrrhus en sachant les hésitations d'Hermione, ce serait décider de le tuer *en dépit* de celles-ci. Sa responsabilité serait plus grande du point de vue de l'intention, et il susciterait moins la pitié du spectateur au dénouement. Pour qu'Oreste soit un personnage tragique au même titre que Pyrrhus ou Hermione, il faut paradoxalement qu'il évolue dans une pièce différente de la leur, dans laquelle ils ne se sont pas rencontrés et où la jeune femme n'a manifesté aucun revirement.

DEUX ÉPOPÉES POUR UNE TRAGÉDIE

La même analyse vaut au sujet des « premiers acteurs ». Andromaque et Pyrrhus semblent n'avoir jamais aucune raison de se trouver ensemble sur la même scène. Racine relègue en effet hors du théâtre toutes leurs entrevues annoncées [1], et leurs deux rencontres sur scène sont le fait du hasard. À la scène 4 de l'acte I, Andromaque entre en scène pour aller embrasser son fils Astyanax juste après que Pyrrhus a congédié Oreste, qui vient précisément d'exiger la mort de l'enfant ; à la scène 6 de l'acte III, Pyrrhus tombe sur elle alors qu'il souhaite trouver Hermione, qui vient juste de se retirer. Or, au nom de la vraisemblance, la dramaturgie classique répugne à de telles coïncidences [2]. Pourquoi Racine s'y est-il résolu ?

Pour la scène 4 de l'acte I, il aurait été artificiel que Pyrrhus fasse chercher Andromaque pour lui faire part de l'ambassade d'Oreste, et il était exclu qu'Andromaque vienne prier Pyrrhus de l'informer de cet entretien : le caractère d'Andromaque, qui conserve le sentiment de sa haute dignité face à son persécuteur, aurait changé du tout au tout. Pour la scène 6 de l'acte III, la rencontre peut difficilement être à l'initiative de Pyrrhus. S'il l'a souhaitée afin, disait-il, de « donner à [sa] haine une libre étendue » (II, 5, v. 678), il a fini par convenir qu'un tel désir était en réalité un « reste de tendresse » (v. 702) et l'a abandonné. Seul un revirement de Pyrrhus justifierait qu'il vienne trouver Andromaque ; mais il n'y a guère qu'une rencontre avec celle-ci qui puisse produire ce revirement. Du côté d'Andromaque, Céphise lui conseille d'aller trouver Pyrrhus (III, 5) en arguant du pouvoir de son regard sur lui. Mais Pyrrhus arrive aussitôt, et c'est devant lui qu'Andromaque explique son absence d'initiative en invoquant « un reste de fierté » dû « à l'éclat d'une

---

1. Une rencontre annoncée par Pyrrhus (I, 4, v. 381) se déroule entre l'entracte et la scène 4 de l'acte II où Pyrrhus vient annoncer à Oreste qu'il épouse Hermione. Une autre entrevue imposée par Pyrrhus (III, 7, v. 973-974) a lieu entre l'acte III et l'acte IV ; elle prépare leur mariage, qui est rapporté par Cléone (V, 2) puis par Oreste (V, 3).

2. Voir note 1, p. 34.

illustre fortune » (v. 913-914). Là aussi, c'est le caractère de la veuve d'Hector qui interdit qu'elle vienne prier Pyrrhus, et *a fortiori* qu'elle use de son pouvoir de séduction pour fléchir Pyrrhus.

Si Andromaque n'entre jamais sur la scène de la tragédie pour y trouver Pyrrhus, c'est en somme, dans ces deux scènes comme ailleurs, parce qu'elle continue d'être l'héroïne d'une autre œuvre, l'*Iliade* (dont Pyrrhus n'est pas acteur). À la scène 6 de l'acte III, Pyrrhus croit quant à lui arriver dans la pièce d'Hermione pour y jouer le rôle d'époux qui lui y est assigné (et il n'y a pas de place dans cette pièce pour Andromaque). En revanche, dans la scène 4 de l'acte I, il espère entrer – de gré et de force – dans une nouvelle *Iliade* dont il serait le héros : remplaçant Hector auprès d'Astyanax et d'Andromaque, il mènerait par amour une nouvelle guerre contre les Grecs[1]. Ce serait une *Iliade* à la mode galante – et donc différente de celle, faite de sang et de larmes, dans laquelle évolue Andromaque.

PASSIONS, FICTIONS, INTERPRÉTATIONS

Pyrrhus n'est pas le seul personnage à se rêver le héros d'une fiction qui fournit la matière de sa pièce. Les passions des protagonistes font qu'ils se leurrent sur les motivations réelles de leurs partenaires, et les amènent à des affabulations, dont le décalage avec les données de l'action contribue largement à l'ironie tragique et au pathétique que recherche Racine. Mais du même coup les personnages font proliférer des versions alternatives de l'action d'*Andromaque*[2], et ils inventent et attribuent

1. Voir notamment I, 4, v. 282-287 et 325-332 ; IV, 1, v. 1051-1062 ; et V, 3, v. 1507-1512.
2. Voir Marc Escola, « Le sixième acte. Les seconds amants du théâtre classique », dans Claire Despierres, Hervé Bismuth, Mustapha Krazem et Cécile Narjoux (dirs), *La Lettre et la scène. Linguistique du texte de théâtre*, Éditions universitaires de Dijon, « Langages », 2009, p. 149-158.

à leurs partenaires de nouveaux « caractères ». Ils deviennent ainsi les dramaturges de multiples pièces, concurrentes de celle à laquelle nous assistons. Parmi celles-ci, l'*Hermione* et l'*Oreste* dont *Andromaque* contient structuralement la possibilité en acquièrent un contenu précis – sans compter les autres pièces qui apparaissent plus fugacement.

Passions et fictions

Un mot fréquemment employé désigne exactement ce qui se joue dans ces affabulations passionnelles : c'est le verbe *flatter*, en particulier sous sa forme réfléchie[1]. Lorsque ce verbe apparaît, c'est souvent dans la bouche d'un personnage qui, sans s'aviser qu'il « se flatte » lui-même par là, en accuse (à tort) un autre. Ainsi de Pyrrhus qui s'imagine une Andromaque ravie d'être aimée de lui : « Moi l'aimer ? une ingrate / Qui me hait d'autant plus que mon amour *la flatte* ? » (II, 5, v. 685-686). Ainsi d'Oreste persuadé que Pyrrhus n'épouse Hermione que pour le provoquer et l'accabler : « Non, non, je le connais : mon désespoir *le flatte* » (III, 1, v. 737). Hermione formule également le principe – et le risque – de ces affabulations, alors qu'elle rêve d'un Pyrrhus héroïque et qu'Andromaque l'interrompt : « Dieux ! ne puis-je *à ma joie abandonner mon âme* ? » (III, 3, v. 857). Dans de telles scènes, les fictions qu'imaginent Hermione, Pyrrhus ou Oreste tendent à devenir des monologues : le personnage n'entend plus les objections de son confident qui tente en vain de rétablir le véritable caractère du personnage dont il est question. La scène se dédouble pour accueillir une autre pièce dans laquelle le personnage croit se mouvoir.

---

1. Parmi les sens que distingue Furetière dans son *Dictionnaire universel* (1690), « *flatter*, signifie […] déguiser une vérité qui serait désagréable à celui qui y serait intéressé » ; « *flatter* son amour, c'est-à-dire se repaître d'espérances. *Flatter* son imagination, c'est la remplir de chimères agréables ».

Ce peut être, ponctuellement, une comédie. À la scène 1 de l'acte II, la jalousie fait ainsi imaginer à Hermione qu'Andromaque cherche à séduire Pyrrhus, et que sa froideur et ses rigueurs ne sont que coquetterie. C'est un tel caractère, digne de la Célimène de Molière [1], que la passion fait également affabuler à Pyrrhus à la scène 5 de l'acte II :

> Je vois ce qui la flatte.
> Sa beauté la rassure ; et malgré mon courroux,
> L'orgueilleuse m'attend encore à ses genoux.

> (v. 658-660)

Mais c'est le plus souvent à d'autres modèles de tragédies que pensent appartenir les protagonistes. Lorsque Pyrrhus s'est provisoirement décidé à épouser Hermione, celle-ci imagine longuement un Pyrrhus pourvu de toutes les vertus :

> Pyrrhus revient à nous. Hé bien ! chère Cléone,
> Conçois-tu les transports de l'heureuse Hermione ?
> Sais-tu quel est Pyrrhus ? T'es-tu fait raconter
> Le nombre de ses exploits… Mais qui peut les compter ?
> Intrépide, et partout suivi de la victoire,
> Charmant, fidèle enfin, rien ne manque à sa gloire.

> (III, 3, v. 839-844.)

Hermione monologue : il est sûr que sa confidente « sait » assez quel est Pyrrhus, et s'est mille fois « fait raconter » ses « exploits » par Hermione elle-même. C'est qu'elle se croit dans une tragédie de Corneille : elle prête à Pyrrhus exactement le caractère d'un de ces « héros parfaits [2] » que moque Racine. Il en va de même lorsque, à rebours, elle fait de Pyrrhus un odieux tyran. Ainsi devant Oreste (IV, 3), et plus encore face à Pyrrhus (IV, 5), qu'elle traite de « parjure » et « traître » (v. 1326) et accuse de s'« abandonn[er] au crime en criminel »

---

1. Voir Dossier, 6.
2. Première préface, p. 15.

(v. 1312), à l'instar de ces tyrans accomplis qui peuplent les pièces de Corneille, tels la Cléopâtre de *Rodogune* (1645) ou le Phocas d'*Héraclius* (1647). En refusant alors de s'abaisser à faire des reproches à Pyrrhus et en recourant à l'ironie, Hermione s'efforce de jouer le rôle d'une princesse cornélienne qui agirait conformément à sa dignité en dépit de sa passion [1]. Sa tragédie aurait pu être une pièce de Corneille, mais celle-ci ne parvient pas à advenir : c'est dans cet échec que réside le pathétique de cette *Hermione*.

Quant à Oreste, que penser des innombrables répliques où il se présente comme une victime du destin ? Il n'y a guère que lui, parmi les protagonistes d'*Andromaque*, qui voit dans le déroulement des événements l'œuvre d'une obscure fatalité. Faut-il prendre au sérieux ses discours ? Ou n'est-ce pas sa mélancolie amoureuse qui le fait ainsi affabuler une tragédie antique revue à la mode galante, dans laquelle il aurait le rôle, finalement assez glorieux, d'un héros amoureux accablé par les dieux, alors qu'il n'est que la dupe un peu ridicule de sa passion, ballotté au gré de celles des autres personnages ? Le « tragique » de la pièce (et le sens du fameux vers « Je me livre en aveugle au destin qui m'entraîne ») change du tout au tout selon la réponse que l'on donne à cette question : aussi a-t-on pu voir en Oreste aussi bien « une vraie victime de la fatalité [2] » qu'un personnage « geignard et grandiloquent [3] ».

On s'en avise : le caractère fallacieux ou véridique des discours des personnages n'est pas toujours aisé à établir. Dès lors que leur caractère est double, à la fois héroïque

---

1. L'attitude d'Hermione est très proche de celle de la princesse Eryxe dans *Sophonisbe* de Corneille (1663, III, 2), comme l'ont montré R.C. Knight et H.T. Barnwell dans leur édition d'*Andromaque* (Genève, Droz, 1977, p. 189-193) et Georges Forestier (dans Racine, *Œuvres complètes*, t. I, *op. cit.*, p. 1338).
2. Annie Ubersfeld, « Préface », dans Racine, *Andromaque*, Éditions sociales, « Classiques du peuple », 1971, p. 40.
3. Jean Rohou, *Andromaque*, PUF, « Études littéraires », 2000, p. 39.

et déréglé par la passion, leurs propos peuvent à chaque moment être mis en doute ou pris au sérieux.

D'autres discours, *a priori* peu susceptibles d'être animés par une passion trompeuse, peuvent, comme par contagion, susciter une incertitude comparable. Si l'on a de bonnes raisons de considérer qu'Hermione a tort de louer la « fidélité » de Pyrrhus, que penser alors de la résolution que prend Andromaque de se marier avec celui-ci afin de l'« engager à [s]on fils par des liens immortels » (IV, 1, v. 1092) et de se suicider aussitôt après ? Ce pari repose entièrement sur une image de Pyrrhus au fond identique à celle affabulée par Hermione, et à ce titre tout aussi contestable :

> Pyrrhus en m'épousant s'en déclare l'appui ;
> Il suffit : je veux bien m'en reposer sur lui.
> Je sais quel est Pyrrhus. Violent, mais sincère,
> Céphise, il fera plus qu'il n'a promis de faire.

(v. 1083-1086)

Subligny voyait ici la « faute de jugement » d'une « étourdie », et la critique moderne a aussi mis en doute cette conduite présumée de Pyrrhus, qui, après le suicide d'Andromaque, pourrait aussi bien, pris de fureur, faire périr Astyanax. On a même pu rapporter cette soudaine confiance d'Andromaque en son persécuteur à un amour naissant et inavouable [1].

INTERPRÉTER *ANDROMAQUE*

Si tous les personnages consacrent une bonne partie de leurs discours à interpréter les conduites et les caractères de leurs partenaires, ils sont ainsi les premiers interprètes de leur pièce, mais des interprètes peu fiables, tous discutables. Dès lors, interpréter *Andromaque*, pour la critique comme pour les metteurs en scène, c'est, bien

---

1. Voir les interprétations de Lucien Goldmann (Dossier, 5) et d'Erich Auerbach (Dossier, 3).

souvent, prolonger les commentaires de l'un des personnages contre ceux fournis par un autre, et privilégier la
pièce dont ce personnage tente d'être le héros contre les
autres pièces possibles. On ne s'étonnera donc pas que la
critique racinienne prenne souvent la forme d'une apolo-
gie de l'un des personnages ou d'un réquisitoire contre
un autre, ni qu'elle s'apparente à une réécriture.

Le principal conflit d'interprétations, de fait, se joue
entre les partisans d'Hermione et ceux de Pyrrhus, et il
se cristallise souvent au sujet de leur rencontre à la
scène 5 de l'acte IV. Cette scène n'est pas motivée en
amont : Pyrrhus ayant finalement décidé d'épouser
Andromaque, la raison pour laquelle il devait aller trouver Hermione à compter de l'acte II (lui annoncer leur
mariage) est caduque. Pourquoi Pyrrhus cherche-t-il
alors à voir Hermione ? Il en fournit une raison au début
de la scène, qu'un critique comme Roland Barthes prend
à la lettre :

> Ce qui fait de lui la figure la plus émancipée de tout le
> théâtre racinien (et j'ose dire la plus sympathique), c'est que
> dans tout ce théâtre, c'est le seul personnage de bonne foi :
> décidé à rompre, il recherche lui-même Hermione (IV, 5) et
> s'explique devant elle sans recourir à aucun alibi ; il n'essaie
> pas de se justifier, il assume ouvertement la violence de la
> situation, sans cynisme et sans provocation. Sa justesse vient
> de sa libération profonde : il ne monologue pas, il n'est pas
> incertain sur les signes (contrairement à Hermione, tout
> embarrassée dans une problématique des apparences) [1].

À l'inverse, Jean Rohou considère que Pyrrhus vient
pour torturer cruellement Hermione. Ce sont alors les
répliques de celles-ci que le critique prend au sérieux.
Ainsi de l'ironique définition qu'elle donne du discours
de Pyrrhus (« aveu dépourvu d'artifices », v. 1309), que
Jean Rohou tient pour « une indication scénique de
l'auteur, qui dénonce la malignité non seulement des

---

1. Roland Barthes, *Sur Racine*, Seuil, 1963 ; rééd. « Points », 2014,
p. 84.

effets de ce discours, mais de son intention [...] insolente et [...] insultante [1] ».

Or le discours par lequel Pyrrhus justifie sa venue et les répliques d'Hermione sont déjà des commentaires sur les intentions de Pyrrhus : leur conflit est aussi une querelle d'interprétations inconciliables. Dès lors, entre deux interprétations également présentes dans le texte et également discutables, qu'est-ce qui amène le critique à choisir, et à accorder toute sa confiance à Pyrrhus ou à Hermione, sinon la « sympathie », comme écrivait Barthes, qu'il éprouve pour l'un ou l'autre ? Mais cette sympathie a tout de la passion, à voir l'énergie que mettent les critiques à récrire la pièce, en faisant des répliques d'Hermione des didascalies (J. Rohou), ou en « adoucissant » bien plus que ne l'a fait Racine la « férocité » de Pyrrhus (R. Barthes).

Subligny avait indiqué la possibilité de ce conflit de « sympathies », situant son origine dans le caractère de Pyrrhus dont « les faiblesses, qui sont de pures lâchetés », risquent de faire « désirer [au spectateur] qu'Hermione en fût vengée, au lieu de craindre pour lui [2] ». Autrement dit, à partir de la scène 5 de l'acte IV, le spectateur ne sait plus très bien à quelle tragédie il assiste : est-ce encore *Andromaque*, est-ce une *Hermione* ou bien un *Pyrrhus* ? Le conflit d'interprétations est ainsi la conséquence de l'élaboration de ces personnages à double face que Racine a tenté de rendre tous également héros tragiques.

On l'aura compris : ce qui faisait les défauts de la pièce aux yeux des critiques du XVIIe siècle assure à chaque lecteur comme à chaque metteur en scène la possibilité de créer l'*Andromaque* de ses vœux. On peut considérer ensemble Hermione et Pyrrhus comme les « deux personnages principaux » et lire un « drame brutal de l'instinct », mais aussi valoriser la seule Hermione ou le

---

1. Jean Rohou, *Andromaque, op. cit.*, p. 58.
2. Subligny, *La Folle Querelle ou la Critique d'Andromaque, op. cit.*, p. 262. Voir Dossier, 2.

seul Pyrrhus. On peut également prendre au sérieux le drame d'Oreste ; mais aussi faire du fils d'Achille et de la veuve d'Hector les acteurs d'une tragédie d'« un lendemain de guerre » dans laquelle « l'histoire prend au piège les vainqueurs d'hier [1] » ; ou encore mettre l'accent sur le sort d'Andromaque alors héroïne d'une tragédie élégiaque : c'est sans doute cette dernière pièce qui fit verser les larmes d'Henriette d'Angleterre, elle-même fille d'une reine veuve et exilée [2].

Une telle latitude n'est pas si fréquente dans un genre aussi réglé que la tragédie classique. Si *Andromaque* est la plus fameuse tragédie des passions, c'est aussi parce que, trois siècles et demi après sa création, elle peut toujours provoquer des interprétations contradictoires et passionnées.

Arnaud WELFRINGER.

---

1. Annie Ubersfeld, « Préface », dans Racine, *Andromaque*, *op. cit.*, p. 35.
2. Voir la Dédicace, p. 11.

NOTE SUR L'ÉDITION

Cette édition reprend le texte établi par Paul Mesnard pour la collection « Grands écrivains de la France » (Hachette, 1865-1873). L'orthographe a été modernisée, à l'exception des graphies anciennes imposées par la diction de l'alexandrin ou des rimes.

Les variantes introduites par Racine au fil des rééditions par rapport au texte original de 1668 sont trop nombreuses pour être reproduites en notes ; on trouvera en appendice uniquement la première version de la scène 3 de l'acte V.

Les termes dont le sens a changé depuis le XVIIe siècle et qui sont fréquemment employés par Racine sont signalés par un astérisque et définis dans le glossaire placé en fin de volume.

Remerciements

Merci à Marc Douguet et Marc Escola, pour les réponses qu'ils ont su apporter à mes questions ; à Charlotte von Essen, directrice de la collection GF, pour sa patience et ses conseils toujours judicieux ; à Florian Pennanech, dont l'amitié m'a plusieurs fois tiré d'embarras ; et à Vanessa Lejzerowicz, pour son aide et sa constante générosité.

Andromaque

Tragédie

À MADAME [1]

MADAME,

Ce n'est pas sans sujet que je mets votre illustre nom à la tête de cet ouvrage. Et de quel autre nom pourrais-je éblouir les yeux de mes lecteurs, que de celui dont mes spectateurs ont été si heureusement éblouis ? On savait que VOTRE ALTESSE ROYALE avait daigné prendre soin de la conduite [2] de ma tragédie. On savait que vous m'aviez prêté quelques-unes de vos lumières pour y ajouter de nouveaux ornements. On savait enfin que vous l'aviez honorée de quelques larmes dès la première lecture que je vous en fis [3]. Pardonnez-moi, MADAME, si j'ose me vanter de cet heureux commencement de sa destinée. Il me console bien glorieusement de la dureté de ceux qui ne voudraient pas s'en laisser toucher. Je leur permets de condamner l'*Andromaque* tant qu'ils voudront, pourvu qu'il me soit permis d'appeler [4] de toutes les subtilités de leur esprit au cœur de V. A. R. [5].

---

1. Désigne l'épouse de *Monsieur*, titre donné au frère du roi. Il s'agit d'Henriette Anne Stuart, dite Henriette d'Angleterre (1644-1670), très influente en matière de goût à la cour.
2. L'élaboration.
3. L'évocation d'une première lecture de l'œuvre à son dédicataire est fréquente dans les dédicaces du XVIIᵉ siècle. La lecture aurait suffi à faire verser les larmes : c'est dire la réussite du dramaturge, qui n'a même pas besoin des artifices du spectacle pour émouvoir. Racine reprend là un argument d'Aristote au sujet de la supériorité de l'intrigue sur le spectacle (*Poétique*, 1453b1-7, chap. 14). Sur les « larmes » comme effet de la tragédie, voir Dossier, 4.
4. De faire appel, au sens judiciaire.
5. Votre Altesse Royale. Aux « subtilités » (terme péjoratif) des critiques, Racine oppose le « cœur » de Madame, capable de privilégier l'émotion plutôt que le seul respect des règles. Sans qu'elle ignore celles-ci : elle

Mais, MADAME, ce n'est pas seulement du cœur que vous jugez de la bonté d'un ouvrage, c'est avec une intelligence qu'aucune fausse lueur ne saurait tromper. Pouvons-nous mettre sur la scène une histoire que vous ne possédiez aussi bien que nous ? Pouvons-nous faire jouer une intrigue dont vous ne pénétriez tous les ressorts ? Et pouvons-nous concevoir des sentiments si nobles et si délicats qui ne soient infiniment au-dessous de la noblesse et de la délicatesse de vos pensées ?

On sait, MADAME, et V. A. R. a beau s'en cacher, que dans ce haut degré de gloire* où la nature et la fortune* ont pris plaisir de vous élever, vous ne dédaignez pas cette gloire* obscure que les gens de lettres s'étaient réservée. Et il semble que vous ayez voulu avoir autant d'avantage sur notre sexe par les connaissances et par la solidité de votre esprit, que vous excellez dans le vôtre par toutes les grâces qui vous environnent. La cour vous regarde comme l'arbitre de tout ce qui se fait d'agréable. Et nous, qui travaillons pour plaire au public, nous n'avons plus que faire de demander aux savants si nous travaillons selon les règles. La règle souveraine est de plaire à V. A. R.

Voilà sans doute* la moindre de vos excellentes qualités. Mais, MADAME, c'est la seule dont j'ai pu parler avec quelque connaissance : les autres sont trop élevées au-dessus de moi. Je n'en puis parler sans les rabaisser par la faiblesse de mes pensées, et sans sortir de la profonde vénération avec laquelle je suis,

MADAME,

DE VOTRE ALTESSE ROYALE
Le très humble, très obéissant
et très fidèle serviteur,

RACINE.

---

connaît les « histoires » (les sujets antiques) comme les « ressorts » d'une « intrigue » et les « sentiments » (les passions et les caractères qu'il convient de donner aux personnages). Racine s'autorise ainsi de l'approbation de Madame, et avec elle de la cour, instituée en autorité supérieure aux savants en matière de théâtre.

Première préface
(1668 et 1673)

*Virgile au troisième livre de l'*Énéide

C'est Énée qui parle.

Littoraque Epeiri legimus, portuque subimus
Chaonio, et celsam Buthroti ascendimus urbem...
Solemnes tum forte dapes et tristia dona...
Libabat cineri Andromache, Manesque vocabat
Hectoreum ad tumulum, viridi quem cespite inanem,.
Et geminas, causam lacrymis, sacraverat aras...
Dejecit vultum, et demissa voce locuta est :
« O felix una ante alias Priameia virgo,
Hostilem ad tumulum, Trojae sub moenibus altis,
Jussa mori ! quae sortitus non pertulit ullos,
Nec victoris heri tetigit captiva cubile.
Nos, patria incensa, diversa per aequora vectae,
Stirpis Achilleae fastus, juvenemque superbum,
Servitio enixae, tulimus, qui deinde secutus
Ledaeam Hermionem, Lacedaemoniosque hymenaeos...
Ast illum, ereptae magno inflammatus amore
Conjugis, et scelerum Furiis agitatus, Orestes
Excipit incautum, patriasque obtruncat ad aras [1]. »

---

1. « Nous longeons les côtes de l'Épire, nous entrons dans le port
de la Chaonie, et nous montons dans la ville élevée de Buthrote.
[...] En ce moment, par hasard, [...] Andromaque offrait aux cendres
d'Hector un sacrifice solennel et des libations funéraires ; elle invo-
quait les Mânes près d'un tombeau vide de vert gazon qu'elle avait
consacré à son ancien époux, avec deux autels, sources de larmes.
[...] Elle baissa les yeux et répondit à voix basse : "Ô heureuse entre
toutes la fille de Priam, condamnée à mourir près du tombeau d'un

Voilà, en peu de vers, tout le sujet de cette tragédie. Voilà le lieu de la scène, l'action qui s'y passe, les quatre principaux acteurs, et même leurs caractères. Excepté celui d'Hermione, dont la jalousie et les emportements sont assez marqués dans l'*Andromaque* d'Euripide [1].

Mais véritablement mes personnages sont si fameux dans l'Antiquité, que pour peu qu'on la connaisse, on verra fort bien que je les ai rendus tels que les anciens poètes nous les ont donnés [2]. Aussi n'ai-je pas pensé qu'il me fût permis de rien changer à leurs mœurs. Toute la liberté que j'ai prise, ç'a été d'adoucir un peu la férocité de Pyrrhus, que Sénèque, dans sa *Troade*, et Virgile, dans le second de l'*Énéide* [3], ont poussée beaucoup plus loin que je n'ai cru le devoir faire.

Encore s'est-il trouvé des gens qui se sont plaints qu'il s'emportât contre Andromaque, et qu'il voulût épouser cette captive à quelque prix que ce fût. J'avoue qu'il n'est

---

ennemi, au pied des hautes murailles de Troie ! Elle, qui n'eut point à subir les chances du sort, et ne foula point, captive, le lit d'un maître vainqueur ! Nous, après l'embrasement de notre patrie, emportées à travers des mers lointaines, nous avons essuyé les dédains du rejeton d'Achille et supporté ce superbe jeune homme, devenues mères dans la servitude. Bientôt, il suivit la Lédéenne Hermione et les hyménées lacédémoniens [...] Mais, enflammé d'un grand amour pour sa fiancée ravie et en proie aux Furies vengeresses, Oreste surprend son rival sans défense et l'égorge aux pieds des autels de son père" » (Virgile, *Énéide*, III, v. 292-332, trad. M. Rat, GF-Flammarion, 1965, p. 79-80). Sur ces vers qui constituent selon Racine « tout le sujet de cette tragédie », voir Dossier, 1.

1. Sur l'*Andromaque* d'Euripide, voir Dossier, 1.

2. Au sujet de sa pièce précédente, *Alexandre le Grand* (1666), Saint-Évremond avait reproché à Racine de « n'avoir pas le goût de l'Antiquité », et d'avoir fait d'Alexandre un personnage galant, plus conforme au goût et aux valeurs de la France des années 1660 qu'au héros grec tel qu'on peut le connaître par les historiens antiques. Racine, ici, se présente désormais comme bon connaisseur de l'Antiquité (voir Dossier, 3).

3. Le deuxième chant de l'*Énéide*, qui raconte le pillage de Troie par les Grecs, évoque longuement les meurtres commis par Pyrrhus (voir Dossier, 1).

pas assez résigné à la volonté de sa maîtresse, et que Céladon [1] a mieux connu que lui le parfait amour. Mais que faire ? Pyrrhus n'avait pas lu nos romans. Il était violent de son naturel. Et tous les héros ne sont pas faits pour être des Céladons [2].

Quoi qu'il en soit, le public m'a été trop favorable pour m'embarrasser du chagrin particulier de deux ou trois personnes qui voudraient qu'on réformât tous les héros de l'Antiquité pour en faire des héros parfaits. Je trouve leur intention fort bonne de vouloir qu'on ne mette sur la scène que des hommes impeccables. Mais je les prie de se souvenir que ce n'est pas à moi de changer les règles du théâtre. Horace nous recommande de dépeindre Achille farouche, inexorable, violent, tel qu'il était, et tel qu'on dépeint son fils [3]. Et Aristote, bien éloigné de nous demander des héros parfaits, veut au contraire que les personnages tragiques, c'est-à-dire ceux dont le malheur fait la catastrophe de la tragédie, ne soient ni tout à fait bons, ni tout à fait méchants. Il ne veut pas qu'ils soient extrêmement bons, parce que la punition d'un homme de bien exciterait plutôt l'indignation que la pitié du spectateur ; ni qu'ils soient méchants avec excès, parce qu'on n'a point pitié d'un scélérat. Il faut donc qu'ils aient une bonté médiocre [4],

_____

1. Céladon, héros du roman d'Honoré d'Urfé *L'Astrée* (1607-1627), est un amant délicat et tendre, incarnation de la galanterie amoureuse (voir Dossier, 3).
2. La « brutalité » excessive de Pyrrhus est l'une des critiques adressées à *Andromaque*. Racine s'autorise ainsi de ses modèles antiques contre ses adversaires, par là accusés d'ignorance. Il laisse de côté le reproche opposé, qu'il s'était aussi attiré : d'autres spectateurs ont jugé que le caractère de Pyrrhus était celui d'un amant galant, et non celui du fils d'Achille, roi et guerrier impétueux (voir Présentation et Dossier, 2 et 3).
3. « Écrivain, suis la tradition [...] Veux-tu représenter Achille couvert de gloire ? Il sera actif, emporté, inexorable, violent ; il affirmera sa volonté de ne point se soumettre aux lois, il ne demandera rien qu'aux armes » (Horace, *Art poétique*, v. 119-122, trad. F. Richard, GF-Flammarion, 1990, p. 262).
4. Moyenne, ordinaire (le mot n'est pas péjoratif au XVIIᵉ siècle).

c'est-à-dire une vertu capable de faiblesse, et qu'ils tombent dans le malheur par quelque faute qui les fasse plaindre sans les faire détester [1].

---

1. *Cf.* Aristote, *Poétique*, 1452b33-1453a11 (chap. 13). Sur l'usage que fait Racine d'Aristote, voir Dossier, 3.

SECONDE PRÉFACE [1]
(1676)

*Virgile au troisième livre de l'*Énéide

C'est Énée qui parle.

Littoraque Epeiri legimus, portuque subimus
Chaonio, et celsam Buthroti ascendimus urbem…
Solemnes tum forte dapes et tristia dona…
Libabat cineri Andromache, Manesque vocabat
Hectoreum ad tumulum, viridi quem cespite inanem,
Et geminas, causam lacrymis, sacraverat aras…
Dejecit vultum, et demissa voce locuta est :
« O felix una ante alias Priameia virgo,
Hostilem ad tumulum, Trojae sub moenibus altis,
Jussa mori ! quae sortitus non pertulit ullos,
Nec victoris heri tetigit captiva cubile.
Nos, patria incensa, diversa per aequora vectae,
Stirpis Achilleae fastus, juvenemque superbum,
Servitio enixae, tulimus, qui deinde secutus
Ledaeam Hermionem, Lacedaemoniosque hymenaeos…
Ast illum, ereptae magno inflammatus amore
Conjugis, et scelerum Furiis agitatus, Orestes
Excipit incautum, patriasque obtruncat ad aras. »

Voilà, en peu de vers, tout le sujet de cette tragédie.
Voilà le lieu de la scène, l'action qui s'y passe, les quatre
principaux acteurs, et même leurs caractères. Excepté
celui d'Hermione, dont la jalousie et les emportements
sont assez marqués dans l'*Andromaque* d'Euripide.

---

1. Racine remplace la préface précédente par celle-ci à partir de l'édition de ses *Œuvres* publiée en 1675-1676.

C'est presque la seule chose que j'emprunte ici de cet auteur. Car, quoique ma tragédie porte le même nom que la sienne, le sujet en est pourtant très différent. Andromaque, dans Euripide, craint pour la vie de Molossus, qui est un fils qu'elle a eu de Pyrrhus, et qu'Hermione veut faire mourir avec sa mère. Mais ici il ne s'agit point de Molossus. Andromaque ne connaît point d'autre mari qu'Hector, ni d'autre fils qu'Astyanax. J'ai cru en cela me conformer à l'idée que nous avons maintenant de cette princesse. La plupart de ceux qui ont entendu parler d'Andromaque, ne la connaissent guère que pour la veuve d'Hector et pour la mère d'Astyanax. On ne croit point qu'elle doive aimer ni un autre mari, ni un autre fils. Et je doute que les larmes d'Andromaque eussent fait sur l'esprit de mes spectateurs l'impression qu'elles y ont faite, si elles avaient coulé pour un autre fils que celui qu'elle avait d'Hector [1].

Il est vrai que j'ai été obligé de faire vivre Astyanax un peu plus qu'il n'a vécu [2] ; mais j'écris dans un pays où

---

1. Racine déclare s'appuyer moins sur une connaissance exacte de l'ensemble des données du mythe, que sur ce que la plupart des spectateurs du XVIIe siècle croient savoir d'Andromaque (Euripide est peu connu au XVIIe siècle). C'est que des épisodes inconnus du public produiraient l'incrédulité de celui-ci (problème de vraisemblance), et qu'une Andromaque ayant eu hors mariage un fils de Pyrrhus heurterait l'idée que ce public se fait des mœurs du personnage (problème de bienséance) ; l'illusion théâtrale – but de la vraisemblance et de la bienséance – étant alors mise à mal, il serait impossible que la pièce produise la moindre émotion (« impression ») chez les spectateurs. L'argument n'est pas contradictoire avec la fidélité aux modèles antiques revendiquée dans la Première préface (« je les ai rendus tels que les anciens poètes nous les ont donnés », p. 14) ; le pronom pluriel « nous » supposait une fidélité *à ce que le public connaît* des « anciens poètes ».

2. Racine se justifie du reproche que l'on trouve dans *La Folle Querelle* de Subligny : « c'est une faute, d'avoir changé un événement aussi connu que la mort d'Astyanax ; [...] ce sont des histoires qu'on sait mieux que celles de notre temps même, et qu'on ne doit point déguiser » (II, 9). En signalant que l'intrigue d'*Andromaque* repose entièrement sur un fait auquel le public ne peut pas croire, Subligny critique une infraction importante à la vraisemblance.

cette liberté ne pouvait pas être mal reçue. Car, sans parler de Ronsard qui a choisi ce même Astyanax pour le héros de sa *Franciade* [1], qui ne sait que l'on fait descendre nos anciens rois de ce fils d'Hector, et que nos vieilles chroniques sauvent la vie à ce jeune prince, après la désolation de son pays, pour en faire le fondateur de notre monarchie [2] ?

Combien Euripide a-t-il été plus hardi dans sa tragédie d'*Hélène* ! Il y choque ouvertement la créance commune de toute la Grèce. Il suppose qu'Hélène n'a jamais mis le pied dans Troie ; et qu'après l'embrasement de cette ville, Ménélas trouve sa femme en Égypte, dont elle n'était point partie. Tout cela fondé sur une opinion qui n'était reçue que parmi les Égyptiens, comme on le peut voir dans Hérodote [3].

Je ne crois pas que j'eusse besoin de cet exemple d'Euripide pour justifier le peu de liberté que j'ai prise. Car il y a bien de la différence entre détruire le principal fondement d'une fable [4], et en altérer quelques incidents, qui changent presque de face dans toutes les mains qui les traitent. Ainsi Achille, selon la plupart des poètes, ne peut être blessé qu'au talon, quoique Homère le fasse blesser au bras et ne le croie invulnérable en aucune partie de son corps [5]. Ainsi Sophocle fait mourir Jocaste

---

1. Poème épique de Ronsard (1572), dont le héros, rebaptisé Francus, est Astyanax, sauvé des Grecs par Jupiter, et destiné à fonder la monarchie française. Desmarets de Saint-Sorlin (*Clovis ou la France chrétienne*, 1657) sauve autrement Astyanax : Andromaque livre un autre enfant aux Grecs (II, v. 90-94). C'est cette solution, qui évite de recourir au surnaturel, que retiendra Racine (I, 1, v. 74-76 ; et I, 2, v. 221-223).
2. Outre les « vieilles chroniques » médiévales auxquelles Racine fait allusion, Scipion Dupleix, historiographe de Louis XIII, affirmait que les rois de France descendaient d'Andromaque et d'Hector (*Mémoires des Gaules depuis le Déluge jusqu'à l'établissement de la monarchie française*, 1619).
3. L'historien grec rapporte la chose dans son *Enquête* (II, 113-115).
4. « Fable » désigne ici l'histoire qui fournit le sujet d'une tragédie, d'une épopée ou d'un roman.
5. Homère, *Iliade*, XXI, v. 166-167.

aussitôt après la reconnaissance d'Œdipe, tout au contraire d'Euripide, qui la fait vivre jusqu'au combat et à la mort de ses deux fils [1]. Et c'est à propos de quelque contrariété de cette nature qu'un ancien commentateur de Sophocle remarque fort bien *qu'il ne faut point s'amuser à chicaner les poètes pour quelques changements qu'ils ont pu faire dans la fable ; mais qu'il faut s'attacher à considérer l'excellent usage qu'ils ont fait de ces changements, et la manière ingénieuse dont ils ont su accommoder la fable à leur sujet* [2].

---

1. Sophocle, *Œdipe roi* ; Euripide, *Les Phéniciennes*. Racine connaît d'autant mieux ces variations dans la « fable » d'Œdipe qu'il a repris le sujet d'Euripide dans sa première tragédie, *La Thébaïde* (1664).
2. Racine traduit du grec une scolie figurant en marge d'une édition de Sophocle publiée en 1568.

ANDROMAQVE,

TRAGEDIE.

A PARIS,

Chez Theodore Girard , dans la grand'
Salle du Palais , du costé de la Cour
des Aydes , à l'Enuie.

M. DC. LXVIII.
AVEC PRIVILEGE DV ROY.

PERSONNAGES

ANDROMAQUE, veuve d'Hector, captive de Pyrrhus.
PYRRHUS, fils d'Achille, roi d'Épire.
ORESTE, fils d'Agamemnon.
HERMIONE, fille d'Hélène, accordée[1] avec Pyrrhus.
PYLADE, ami d'Oreste[2].
CLÉONE, confidente d'Hermione.
CÉPHISE, confidente d'Andromaque[3].
PHŒNIX, gouverneur d'Achille, et ensuite de Pyrrhus[4].
SUITE D'ORESTE.

La scène est à Buthrot, ville d'Épire[5], dans une salle du palais de Pyrrhus[6].

---

1. Fiancée.
2. Pylade, fils du roi de Phocide et de la sœur d'Agamemnon, et cousin d'Oreste. Leur amitié est proverbiale depuis l'Antiquité.
3. Céphise et Cléone sont des personnages inventés par Racine.
4. Phœnix apparaît dans l'*Iliade* : au chant IX, il conseille à Achille d'accepter les présents d'Agamemnon et de se réconcilier avec celui-ci. Faisant passer l'union contre les Troyens avant les passions d'Achille, il incarne la modération et la sagesse.
5. Buthrote (que Racine orthographie sans -*e*) se trouve au nord-ouest de la Grèce.
6. Les décorateurs d'un des principaux théâtres du XVIIᵉ siècle, l'Hôtel de Bourgogne, mentionnaient en 1678 ces éléments de décor : « Théâtre est un palais à colonnes et, dans le fond, une mer avec des vaisseaux. » Cette indication se déduit des vers de la pièce qui évoquent le décor de l'action (v. 790-794).

ACTE PREMIER

Scène première

ORESTE, PYLADE

ORESTE

Oui, puisque je retrouve un ami si fidèle,
Ma fortune* va prendre une face nouvelle ;
Et déjà son courroux semble s'être adouci,
Depuis qu'elle a pris soin* de nous rejoindre [1] ici.
5   Qui l'eût dit, qu'un rivage à mes vœux si funeste*
Présenterait d'abord* Pylade aux yeux d'Oreste ?
Qu'après plus de six mois que je t'avais perdu,
À la cour de Pyrrhus tu me serais rendu ?

PYLADE

J'en rends grâces au ciel, qui m'arrêtant sans cesse
10 Semblait m'avoir fermé le chemin de la Grèce,
Depuis le jour fatal que la fureur des eaux
Presque aux yeux de l'Épire écarta nos vaisseaux.
Combien dans cet exil ai-je souffert d'alarmes* !
Combien à vos [2] malheurs ai-je donné de larmes,
15 Craignant toujours pour vous quelque nouveau danger ←
Que ma triste amitié* ne pouvait partager !

---

1. Réunir, joindre à nouveau.
2. Subligny, dans *La Folle Querelle*, a fait valoir qu'Oreste et Pylade,
tous deux rois et même cousins, devraient se tutoyer l'un l'autre. Voir
Dossier, 2.

Surtout je redoutais cette mélancolie[1]
Où j'ai vu si longtemps votre âme ensevelie.
Je craignais que le ciel, par un cruel secours,
20 Ne vous offrît la mort que vous cherchiez toujours.
Mais je vous vois, Seigneur ; et si j'ose le dire,
Un destin plus heureux vous conduit en Épire :
Le pompeux appareil[2] qui suit ici vos pas
N'est point d'un malheureux qui cherche le trépas.

ORESTE

25 Hélas ! qui peut savoir le destin qui m'amène ?
L'amour me fait ici chercher une inhumaine*.
Mais qui sait ce qu'il doit ordonner de mon sort,
Et si je viens chercher ou la vie ou la mort ?

PYLADE

Quoi ? votre âme à l'amour en esclave asservie*
30 Se repose sur lui du soin de votre vie ?
Par quel charme*, oubliant tant de tourments soufferts,
Pouvez-vous consentir à rentrer dans ses fers* ?
Pensez-vous qu'Hermione, à Sparte[3] inexorable[4],
Vous prépare en Épire un sort plus favorable ?
35 Honteux d'avoir poussé tant de vœux superflus,
Vous l'abhorriez ; enfin vous ne m'en parliez plus.
Vous me trompiez, Seigneur.

---

1. « Tristesse, […] chagrin qui vient de quelque fâcheux accident » ;
« en termes de médecine, est aussi une maladie qui consiste en une
rêverie sans fièvre et sans fureur, accompagnée ordinairement de crainte
et de tristesse sans occasion apparente » (Furetière). Racine veille à
rendre d'emblée son personnage semblable à l'image que l'Antiquité a
léguée de lui, suivant le précepte de l'*Art poétique* d'Horace évoqué
dans la Première préface (voir p. 15). Horace donnait précisément
l'exemple d'Oreste (*tristis Orestes*). Racine prépare également le
dénouement, où Oreste devient fou.
2. Cortège magnifique qui entoure un homme pour manifester son
rang.
3. Hermione est née à Sparte, dont Ménélas est roi.
4. Racine s'écarte ici de ses sources : traditionnellement, Hermione
était éprise d'Oreste avant de quitter Sparte pour l'Épire.

ORESTE

                    Je me trompais moi-même. ←
Ami, n'accable point un malheureux qui t'aime.
T'ai-je jamais caché mon cœur et mes désirs ?
40 Tu vis naître ma flamme* et mes premiers soupirs.
Enfin, quand Ménélas disposa de sa fille
En faveur de Pyrrhus, vengeur de sa famille [1],
Tu vis mon désespoir ; et tu m'as vu depuis
Traîner de mers en mers ma chaîne et mes ennuis*.
45 Je te vis à regret, en cet état funeste*,
Prêt à suivre partout le déplorable [2] Oreste,
Toujours de ma fureur* interrompre le cours,
Et de moi-même enfin me sauver tous les jours.
Mais quand je me souvins que parmi tant d'alarmes*
50 Hermione à Pyrrhus prodiguait tous ses charmes*,
Tu sais de quel courroux mon cœur alors épris
Voulut en l'oubliant punir tous ses mépris*.
Je fis croire et je crus ma victoire certaine ;
Je pris tous mes transports* pour des transports de haine ;
55 Détestant ses rigueurs*, rabaissant ses attraits,
Je défiais ses yeux de me troubler jamais.
Voilà comme je crus étouffer ma tendresse.
En ce calme trompeur j'arrivai dans la Grèce,
Et je trouvai d'abord* ses princes rassemblés,
60 Qu'un péril assez grand semblait avoir troublés.
J'y courus. Je pensai que la guerre et la gloire*
De soins* plus importants rempliraient ma mémoire ;
Que mes sens reprenant leur première vigueur,
L'amour achèverait de sortir de mon cœur.
65 Mais admire* avec moi le sort dont la poursuite
Me fait courir alors au piège que j'évite [3].

_____

1. La guerre de Troie avait pour cause l'enlèvement d'Hélène (épouse du grec Ménélas) par Pâris, fils du roi troyen Priam. Lors du sac de Troie, Pyrrhus a tué Priam : il a ainsi « vengé » sur le père l'affront que le fils avait fait à Ménélas et à sa « famille ».
2. Digne de pitié.
3. Au piège que je souhaite éviter.

J'entends de tous côtés qu'on menace Pyrrhus ;
Toute la Grèce éclate en murmures* confus ;
On se plaint qu'oubliant son sang et sa promesse
70   Il élève en sa cour l'ennemi de la Grèce,
Astyanax, d'Hector jeune et malheureux fils,
Reste de tant de rois sous Troie ensevelis.
J'apprends que pour ravir son enfance au supplice
Andromaque trompa l'ingénieux Ulysse,
75   Tandis qu'un autre enfant, arraché de ses bras,
Sous le nom de son fils fut conduit au trépas [1].
On dit que peu sensible aux charmes* d'Hermione,
Mon rival porte ailleurs son cœur et sa couronne ;
Ménélas, sans le croire, en paraît affligé,
80   Et se plaint d'un hymen si longtemps négligé.
Parmi les déplaisirs* où son âme se noie,
Il s'élève en la mienne une secrète joie :
Je triomphe ; et pourtant je me flatte* d'abord*
Que la seule vengeance excite ce transport*.
85   Mais l'ingrate* en mon cœur reprit bientôt sa place :
De mes feux* mal éteints je reconnus la trace [2] ;
Je sentis que ma haine allait finir son cours,
Ou plutôt je sentis que je l'aimais toujours.
Ainsi de tous les Grecs je brigue le suffrage.
90   On m'envoie à Pyrrhus ; j'entreprends ce voyage.
Je viens voir si l'on peut arracher de ses bras
Cet enfant dont la vie alarme tant d'États :
Heureux si je pouvais, dans l'ardeur qui me presse,
Au lieu d'Astyanax lui ravir ma princesse !
95   Car enfin n'attends pas que mes feux* redoublés
Des périls les plus grands puissent être troublés.
Puisqu'après tant d'efforts ma résistance est vaine,

---

1. Sur cette modification des données du mythe et ses précédents littéraires, voir la Seconde préface (p. 19, note 1).
2. Transposition d'un vers de Didon dans l'*Énéide* : *Agnosco veteris vestigia flammae* (« Je reconnais les traces d'une ancienne flamme », Virgile, *Énéide*, IV, v. 23).

Je me livre en aveugle au destin qui m'entraîne [1].
J'aime ; je viens chercher Hermione en ces lieux,
100 La fléchir*, l'enlever, ou mourir à ses yeux.
Toi qui connais Pyrrhus, que penses-tu qu'il fasse ?
Dans sa cour, dans son cœur, dis-moi ce qui se passe.
Mon Hermione encor le tient-elle asservi* ?
Me rendra-t-il, Pylade, un bien qu'il m'a ravi ?

PYLADE

105 Je vous abuserais si j'osais vous promettre
Qu'entre vos mains, Seigneur, il voulût la remettre :
Non que de sa conquête il paraisse flatté*.
Pour la veuve d'Hector ses feux* ont éclaté :
Il l'aime. Mais enfin cette veuve inhumaine*
110 N'a payé jusqu'ici son amour que de haine ;
Et chaque jour encore on lui voit tout tenter
Pour fléchir* sa captive, ou pour l'épouvanter.
De son fils, qu'il lui cache, il menace la tête,
Et fait couler des pleurs, qu'aussitôt il arrête.
115 Hermione elle-même a vu plus de cent fois
Cet amant* irrité revenir sous ses lois,
Et de ses vœux* troublés lui rapportant l'hommage,
Soupirer à ses pieds moins d'amour que de rage.
Ainsi n'attendez pas que l'on puisse aujourd'hui
120 Vous répondre [2] d'un cœur si peu maître de lui :
Il peut, Seigneur, il peut, dans ce désordre extrême,
Épouser ce qu'il hait, et punir ce qu'il aime.

ORESTE

Mais dis-moi de quel œil Hermione peut voir
Son hymen différé, ses charmes* sans pouvoir ?

---

1. Dans toutes les éditions d'*Andromaque* jusqu'à celle de 1697, Racine
écrit : « Je me livre en aveugle au transport qui m'entraîne ». Sur cette
modification et ses enjeux, voir Présentation.
2. Garantir, donner des informations certaines.

PYLADE

125 Hermione, Seigneur, au moins en apparence,
     Semble de son amant* dédaigner l'inconstance,
     Et croit que trop heureux de fléchir* sa rigueur*
     Il la viendra presser de reprendre son cœur.
     Mais je l'ai vue enfin me confier ses larmes.
130 Elle pleure en secret le mépris* de ses charmes*.
     Toujours prête à partir, et demeurant toujours,
     Quelquefois elle appelle Oreste à son secours.

ORESTE

Ah ! si je le croyais, j'irais bientôt, Pylade,
Me jeter…

PYLADE

          Achevez, Seigneur, votre ambassade.
135 Vous attendez le Roi. Parlez, et lui montrez
     Contre le fils d'Hector tous les Grecs conjurés.
     Loin de leur accorder ce fils de sa maîtresse,
     Leur haine ne fera qu'irriter* sa tendresse.
     Plus on les veut brouiller, plus on va les unir.
140 Pressez, demandez tout, pour ne rien obtenir.
     Il vient.

ORESTE

          Hé bien ! va donc disposer la cruelle*
À revoir un amant* qui ne vient que pour elle.

Scène 2

PYRRHUS, ORESTE, PHŒNIX

ORESTE

Avant que tous les Grecs vous parlent par ma voix,
Souffrez que j'ose ici me flatter* de leur choix,

145 Et qu'à vos yeux, Seigneur, je montre quelque joie
De voir le fils d'Achille et le vainqueur de Troie.
Oui, comme ses exploits nous admirons vos coups* :
Hector tomba sous lui, Troie expira sous vous ;
Et vous avez montré, par une heureuse audace,
150 Que le fils seul d'Achille a pu remplir sa place.
Mais ce qu'il n'eût point fait, la Grèce avec douleur
Vous voit du sang troyen relever le malheur [1],
Et vous laissant toucher d'une pitié funeste*,
D'une guerre si longue entretenir le reste [2].
155 Ne vous souvient-il plus, Seigneur, quel fut Hector ?
Nos peuples affaiblis s'en souviennent encor.
Son nom seul fait frémir nos veuves et nos filles ;
Et dans toute la Grèce il n'est point de familles
Qui ne demandent compte à ce malheureux fils
160 D'un père ou d'un époux qu'Hector leur a ravis.
Et qui sait ce qu'un jour ce fils peut entreprendre ?
Peut-être dans nos ports nous le verrons descendre,
Tel qu'on a vu son père embraser nos vaisseaux,
Et, la flamme à la main, les suivre sur les eaux [3].
165 Oserai-je, Seigneur, dire ce que je pense ?
Vous-même de vos soins* craignez la récompense,
Et que dans votre sein ce serpent élevé
Ne vous punisse un jour de l'avoir conservé.
Enfin de tous les Grecs satisfaites l'envie,
170 Assurez leur vengeance, assurez votre vie ;

---

1. Comprendre : « Mais la Grèce avec douleur vous voit faire ce qu'Achille n'aurait pas fait, c'est-à-dire réparer le malheur qu'a subi le sang troyen » en protégeant le fils d'Hector.
2. Ce qui a survécu (c'est-à-dire Astyanax).
3. Racine reprend des *Troyennes* de Sénèque (v. 529-555) l'argumentation qu'Ulysse tenait à Andromaque pour lui expliquer pourquoi Astyanax devait mourir. L'image d'Astyanax recommençant la guerre contre les Grecs à la tête d'une armée troyenne se trouve quant à elle dans *La Troade* de Garnier, tragédie publiée en 1579 (II, v. 759-764). Racine y superpose l'image d'Hector incendiaire dans l'*Énéide* (II, v. 276) et, plus largement, la description du combat devant les bateaux dans l'*Iliade* (chants XV et XVI).

Perdez* un ennemi d'autant plus dangereux
Qu'il s'essaiera sur vous à combattre contre eux.

PYRRHUS

La Grèce en ma faveur est trop inquiétée.
De soins* plus importants je l'aie crue agitée,
175 Seigneur ; et sur le nom de son ambassadeur,
J'avais dans ses projets conçus plus de grandeur.
Qui croirait en effet qu'une telle entreprise
Du fils d'Agamemnon méritât l'entremise ;
Qu'un peuple tout entier, tant de fois triomphant,
180 N'eût daigné conspirer que la mort d'un enfant [1] ?
Mais à qui prétend-on que je le sacrifie ?
La Grèce a-t-elle encor quelque droit sur sa vie ?
Et seul de tous les Grecs ne m'est-il pas permis
D'ordonner [2] d'un captif que le sort m'a soumis ?
185 Oui, Seigneur, lorsqu'au pied des murs fumants de Troie
Les vainqueurs tout sanglants partagèrent leur proie,
Le sort, dont les arrêts* furent alors suivis,
Fit tomber en mes mains Andromaque et son fils.
Hécube près d'Ulysse acheva sa misère ;
190 Cassandre dans Argos a suivi votre père [3] :
Sur eux, sur leurs captifs ai-je étendu mes droits ?
Ai-je enfin disposé du fruit de leurs exploits ?
On craint qu'avec Hector Troie un jour ne renaisse ;
Son fils peut me ravir le jour que je lui laisse.
195 Seigneur, tant de prudence entraîne trop de soin* :
Je ne sais point prévoir les malheurs de si loin.
Je songe quelle était autrefois cette ville [4],

---

1. Pyrrhus reprend l'ironie d'une réplique d'Andromaque dans *Les Troyennes* de Sénèque, qui accusait Ulysse d'être « vaillant pour tuer un enfant » (v. 755).
2. De disposer, de décider.
3. Ce partage des prisonniers par tirage au sort est évoqué dans *Les Troyennes* d'Euripide (v. 235-278).
4. La méditation sur le destin de Troie est reprise du discours d'Hécube qui ouvre *Les Troyennes* de Sénèque (v. 1-66).

Si superbe en remparts, en héros si fertile,
Maîtresse de l'Asie ; et je regarde enfin
200 Quel fut le sort de Troie et quel est son destin.
Je ne vois que des tours que la cendre a couvertes,
Un fleuve teint de sang, des campagnes désertes,
Un enfant dans les fers ; et je ne puis songer
Que Troie en cet état aspire à se venger.
205 Ah ! si du fils d'Hector la perte était jurée,
Pourquoi d'un an entier l'avons-nous différée ?
Dans le sein de Priam n'a-t-on pu l'immoler ?
Sous tant de morts, sous Troie il fallait l'accabler.
Tout était juste alors : la vieillesse et l'enfance
210 En vain sur leur faiblesse appuyaient leur défense ;
La victoire et la nuit, plus cruelles que nous,
Nous excitaient au meurtre, et confondaient nos coups.
Mon courroux aux vaincus ne fut que trop sévère.
Mais que ma cruauté survive à ma colère ?
215 Que malgré la pitié dont je me sens saisir,
Dans le sang d'un enfant je me baigne à loisir [1] ?
Non, Seigneur. Que les Grecs cherchent quelque autre proie ;
Qu'ils poursuivent ailleurs ce qui reste de Troie :
De mes inimitiés le cours est achevé ;
220 L'Épire sauvera ce que Troie a sauvé.

ORESTE

Seigneur, vous savez trop avec quel artifice*
Un faux Astyanax fut offert au supplice
Où le seul fils d'Hector devait [2] être conduit.
Ce n'est pas les Troyens, c'est Hector qu'on poursuit.
225 Oui, les Grecs sur le fils persécutent le père ;
Il a par trop de sang acheté [3] leur colère.
Ce n'est que dans le sien qu'elle peut expirer ;
Et jusque dans l'Épire il les peut attirer.
Prévenez*-les.

---

1. À loisir : « en y prenant plaisir » (Furetière).
2. Aurait dû.
3. Mérité.

PYRRHUS

Non, non. J'y consens avec joie :
230 Qu'ils cherchent dans l'Épire une seconde Troie ;
Qu'ils confondent leur haine, et ne distinguent plus
Le sang qui les fit vaincre et celui des vaincus.
Aussi bien ce n'est pas la première injustice
Dont la Grèce d'Achille a payé le service [1].
235 Hector en profita, Seigneur ; et quelque jour
Son fils en pourrait bien profiter à son tour.

ORESTE

Ainsi la Grèce en vous trouve un enfant rebelle ?

PYRRHUS

Et je n'ai donc vaincu que pour dépendre d'elle ?

ORESTE

Hermione, Seigneur, arrêtera vos coups* :
240 Ses yeux s'opposeront entre son père et vous.

PYRRHUS

Hermione, Seigneur, peut m'être toujours chère ;
Je puis l'aimer, sans être esclave de son père ;
Et je saurai peut-être accorder quelque jour
Les soins* de ma grandeur et ceux de mon amour.
245 Vous pouvez cependant voir la fille d'Hélène :
Du sang qui vous unit je sais l'étroite chaîne [2].
Après cela, Seigneur, je ne vous retiens plus,
Et vous pourrez aux Grecs annoncer mon refus.

---

1. Allusion à l'injustice d'Agamemnon, qui s'était approprié une captive d'Achille, Briséis. C'est ce qui déclenche la colère d'Achille, qui refusa de se battre. « Hector en profita » (v. 235) pour repousser les Grecs.
2. Oreste et Hermione sont cousins germains par leurs pères (Agamemnon et Ménélas sont frères) et par leurs mères (Clytemnestre et Hélène sont sœurs).

Scène 3

PYRRHUS, PHŒNIX

PHŒNIX

Ainsi vous l'envoyez aux pieds de sa maîtresse ?

PYRRHUS

250 On dit qu'il a longtemps brûlé* pour la princesse.

PHŒNIX

Mais si ce feu*, Seigneur, vient à se rallumer ?
S'il lui rendait son cœur, s'il s'en faisait aimer ?

PYRRHUS

Ah ! qu'ils s'aiment, Phœnix : j'y consens. Qu'elle parte.
Que charmés* l'un de l'autre, ils retournent à Sparte :
255 Tous nos ports sont ouverts et pour elle et pour lui.
Qu'elle m'épargnerait de contrainte et d'ennui* !

PHŒNIX

Seigneur…

PYRRHUS

        Une autre fois je t'ouvrirai mon âme :
Andromaque paraît.

Scène 4

PYRRHUS, ANDROMAQUE, CÉPHISE

PYRRHUS

Me cherchiez-vous, Madame ?
Un espoir si charmant* me serait-il permis ?

ANDROMAQUE

260 Je passais jusqu'aux lieux où l'on garde mon fils.
Puisqu'une fois le jour vous souffrez que je voie
Le seul bien qui me reste et d'Hector et de Troie,
J'allais, Seigneur, pleurer un moment avec lui :
Je ne l'ai point encore embrassé d'aujourd'hui [1].

PYRRHUS

265 Ah ! Madame, les Grecs, si j'en crois leurs alarmes*,
Vous donneront bientôt d'autres sujets de larmes.

---

1. Au regard de la dramaturgie classique, cette entrée d'Andromaque est mal motivée et à ce titre nuit à la vraisemblance : « tous les acteurs qui paraissent au théâtre, ne doivent jamais entrer sur la scène sans une raison qui les oblige à se trouver en ce moment plutôt dans ce lieu-là qu'ailleurs ; autrement ils n'y doivent pas venir » (d'Aubignac, *La Pratique du théâtre*, 1657, IV, 1). Corneille est encore plus exigeant : « un acteur occupant une fois le théâtre, aucun n'y doit entrer qui n'ait sujet de parler à lui, ou du moins qui n'ait lieu de prendre l'occasion quand elle s'offre » (*Trois Discours sur le poème dramatique*, GF-Flammarion, 1999, p. 141-142). Andromaque, ici, n'a ni « raison qui l'oblige à se trouver en ce moment » précis sur scène (elle ne voit Astyanax qu'« une fois le jour » : elle aurait pu passer aussi bien plus tôt ou plus tard), ni « sujet de parler » à Pyrrhus ni « lieu d'en prendre l'occasion » (c'est lui qui a une nouvelle à annoncer à sa captive) : elle ne fait que passer par hasard, arbitraire que refuse la dramaturgie classique. Racine sacrifie ainsi les exigences de la vraisemblance à un effet pathétique ponctuel : par cette entrée, Andromaque apparaît toute tournée vers son fils et mélancolique devant son sort ; Pyrrhus se prend à espérer qu'elle vienne pour lui, or ce n'est pas le cas. Mais, dans la logique de d'Aubignac et de Corneille, cette entrée faiblement motivée risque de rendre sensible au spectateur le fait que Racine recherche cet effet, et de nuire ainsi à l'illusion théâtrale et donc au pathétique (voir Présentation).

ANDROMAQUE

Et quelle est cette peur dont leur cœur est frappé,
Seigneur ? Quelque Troyen vous est-il échappé ?

PYRRHUS

Leur haine pour Hector n'est pas encore éteinte.
270 Ils redoutent son fils.

ANDROMAQUE

                    Digne objet de leur crainte !
Un enfant malheureux, qui ne sait pas encor
Que Pyrrhus est son maître, et qu'il est fils d'Hector [1].

PYRRHUS

Tel qu'il est, tous les Grecs demandent qu'il périsse.
Le fils d'Agamemnon vient hâter son supplice.

ANDROMAQUE

275 Et vous prononcerez un arrêt* si cruel ?
Est-ce mon intérêt [2] qui le rend criminel ?
Hélas ! on ne craint point qu'il venge un jour son père ;
On craint qu'il n'essuyât les larmes de sa mère..
Il m'aurait tenu lieu d'un père et d'un époux ;
280 Mais il me faut tout perdre, et toujours par vos coups [3].

PYRRHUS

Madame, mes refus ont prévenu* vos larmes,
Tous les Grecs m'ont déjà menacé de leurs armes ;

---

1. L'ironie de cette réplique apparaît également dans *Les Troyennes* de Sénèque (v. 707-708), dans *La Troade* de Garnier (II, v. 771 et 1039-1040) et dans *La Troade* de Sallebray (1640) : « Redouter un enfant ! » (II, 4, v. 719).
2. L'intérêt (l'amour) que j'ai pour mon fils.
3. Achille, père de Pyrrhus, a tué l'époux (Hector), mais aussi le père (Éétion) d'Andromaque (*Iliade*, VI, v. 414-420).

Mais dussent-ils encore, en repassant les eaux [1],
Demander votre fils avec mille vaisseaux ;
285 Coûtât-il tout le sang qu'Hélène a fait répandre ;
Dussé-je après dix ans voir mon palais en cendre [2],
Je ne balance point [3], je vole à son secours :
Je défendrai sa vie aux dépens de mes jours.
Mais parmi ces périls où je cours pour vous plaire,
290 Me refuserez-vous un regard moins sévère ?
Haï de tous les Grecs, pressé de tous côtés,
Me faudra-t-il combattre encor vos cruautés* ?
Je vous offre mon bras. Puis-je espérer encore
Que vous accepterez un cœur qui vous adore ?
295 En combattant pour vous, me sera-t-il permis
De ne vous point compter parmi mes ennemis ?

ANDROMAQUE

Seigneur, que faites-vous, et que dira la Grèce ?
Faut-il qu'un si grand cœur montre tant de faiblesse ?
Voulez-vous qu'un dessein si beau, si généreux,
300 Passe pour le transport* d'un esprit amoureux ?
Captive, toujours triste*, importune à moi-même,
Pouvez-vous souhaiter qu'Andromaque vous aime ?
Quels charmes* ont pour vous des yeux infortunés
Qu'à des pleurs éternels vous avez condamnés ?
305 Non, non, d'un ennemi respecter la misère,
Sauver des malheureux, rendre un fils à sa mère,
De cent peuples pour lui combattre la rigueur,
Sans me faire payer son salut de mon cœur,
Malgré moi, s'il le faut, lui donner un asile :
310 Seigneur, voilà des soins* dignes du fils d'Achille.

---

1. En traversant à nouveau la mer qui sépare le Péloponnèse de l'Épire.
2. Allusions à la guerre de Troie (déclenchée par l'enlèvement d'Hélène et qui a duré « dix ans ») que Pyrrhus est prêt à revivre, cette fois entre l'Épire et les Grecs.
3. Je n'hésite pas.

PYRRHUS

Hé quoi ? votre courroux n'a-t-il pas eu son cours [1] ?
Peut-on haïr sans cesse ? et punit-on toujours ?
J'ai fait des malheureux, sans doute* ; et la Phrygie [2]
Cent fois de votre sang a vu ma main rougie.
315 Mais que vos yeux sur moi se sont bien exercés [3] !
Qu'ils m'ont vendu bien cher les pleurs qu'ils ont versés !
De combien de remords m'ont-ils rendu la proie !
Je souffre tous les maux que j'ai faits devant Troie.
Vaincu, chargé de fers*, de regrets consumé,
320 Brûlé* de plus de feux que je n'en allumai [4],
Tant de soins, tant de pleurs, tant d'ardeurs inquiètes...
Hélas ! fus-je jamais si cruel que vous l'êtes !
Mais enfin, tour à tour, c'est assez nous punir :
Nos ennemis communs devraient nous réunir.
325 Madame, dites-moi seulement que j'espère [5],
Je vous rends votre fils, et je lui sers de père ;
Je l'instruirai moi-même à venger les Troyens ;
J'irai punir les Grecs de vos maux et des miens.
Animé d'un regard, je puis tout entreprendre :
330 Votre Ilion [6] encor peut sortir de sa cendre ;
Je puis, en moins de temps que les Grecs ne l'ont pris,
Dans ses murs relevés couronner votre fils [7].

---

1. Votre colère n'est-elle pas terminée ?
2. Troie et sa région.
3. S'exercer : « s'appliquer à tourmenter » (Furetière).
4. Cette syllepse fameuse, qui associe combat militaire et combat amoureux, est le sommet de la rhétorique galante qu'emploie Pyrrhus dans cette réplique et la précédente. Sur ses sources, voir R.C. Knight, « Brûlé de plus de feux », *Studies to R.L.G. Ritchie*, Cambridge, 1949, p. 107-118 ; et J. Pommier, « Brûlé de plus de feux », *Mélanges D. Mornet*, Nizet, 1951, p. 83-89. Voir aussi L. Spitzer, « L'effet de sourdine dans le style classique : Racine », *Études de style*, Gallimard, « Tel », 1970, p. 266-267.
5. Dites-moi seulement si je puis espérer (que vous m'aimiez un jour).
6. Autre nom de Troie.
7. Pyrrhus reprend ce projet – rétablir Astyanax à la tête de Troie reconstruite – à la fin de la pièce (v. 1507-1512). Dans l'*Andromaque* d'Euripide (v. 723-724), c'est Pelée, grand-père de Pyrrhus, qui annonce ce futur à Molossos, fils d'Andromaque et de Pyrrhus (et non à Astyanax, qu'Euripide tient pour mort). Dans *Les Troyennes* de Sénèque

ANDROMAQUE

Seigneur, tant de grandeurs ne nous touchent plus guère :
Je les lui promettais tant qu'a vécu son père.
335 Non, vous n'espérez plus de nous revoir encor,
Sacrés murs, que n'a pu conserver mon Hector.
À de moindres faveurs des malheureux prétendent,
Seigneur : c'est un exil que mes pleurs vous demandent.
Souffrez que loin des Grecs, et même loin de vous,
340 J'aille cacher mon fils et pleurer mon époux.
Votre amour contre nous allume trop de haine :
Retournez, retournez à la fille d'Hélène.

PYRRHUS

Et le puis-je, Madame ? Ah ! que vous me gênez* !
Comment lui rendre un cœur que vous me retenez ?
345 Je sais que de mes vœux* on lui promit l'empire [1] ;
Je sais que pour régner elle vint dans l'Épire ;
Le sort vous y voulut l'une et l'autre amener :
Vous, pour porter des fers* ; elle, pour en donner.
Cependant ai-je pris quelque soin* de lui plaire ?
350 Et ne dirait-on pas, en voyant au contraire
Vos charmes* tout puissants et les siens dédaignés,
Qu'elle est ici captive et que vous y régnez ?
Ah ! qu'un seul des soupirs que mon cœur vous envoie,
S'il s'échappait vers elle, y porterait de joie !

ANDROMAQUE

355 Et pourquoi vos soupirs seraient-ils repoussés ?
Aurait-elle oublié vos services passés ?
Troie, Hector, contre vous révoltent-ils son âme ?
Aux cendres d'un époux doit-elle enfin sa flamme* ?
Et quel époux encore ! Ah ! souvenir cruel !

_____

(v. 469-474), c'est Andromaque qui formule ce vœu avant d'en reconnaître la vanité (v. 474-482), comme ici à la réplique qui suit.
1. On lui promit de régner sur mes sentiments.

360 Sa mort seule a rendu votre père immortel.
Il doit au sang d'Hector tout l'éclat de ses armes,
Et vous n'êtes tous deux connus que par mes larmes.

PYRRHUS

Hé bien, Madame, hé bien, il faut vous obéir :
Il faut vous oublier, ou plutôt vous haïr.
365 Oui, mes vœux* ont trop loin poussé leur violence
Pour ne plus s'arrêter que dans l'indifférence [1].
Songez-y bien : il faut désormais que mon cœur,
S'il n'aime avec transport*, haïsse avec fureur*.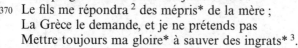
Je n'épargnerai rien dans ma juste colère :
370 Le fils me répondra [2] des mépris* de la mère ;
La Grèce le demande, et je ne prétends pas
Mettre toujours ma gloire* à sauver des ingrats* [3].

ANDROMAQUE

Hélas ! il mourra donc. Il n'a pour sa défense
Que les pleurs de sa mère et que son innocence.
375 Et peut-être après tout, en l'état où je suis,
Sa mort avancera la fin de mes ennuis*.
Je prolongeais pour lui ma vie et ma misère [4] ;
Mais enfin sur ses pas j'irai revoir son père.
Ainsi tous trois, Seigneur, par vos soins* réunis,
380 Nous vous...

PYRRHUS

Allez, Madame, allez voir votre fils.
Peut-être, en le voyant, votre amour plus timide [5]

---

1. Pour désormais s'arrêter seulement à l'indifférence.
2. Subira les conséquences.
3. Au Pyrrhus « galant » des précédentes répliques succède brutalement le Pyrrhus « farouche, inexorable, violent » évoqué dans la Première préface (p. 14-15).
4. D'après *Les Troyennes* de Sénèque, v. 419-422.
5. Craintif.

Ne prendra pas toujours sa colère pour guide.
Pour savoir nos destins, j'irai vous retrouver.
Madame, en l'embrassant, songez à le sauver.

ACTE II

Scène première

HERMIONE, CLÉONE

HERMIONE

385 Je fais ce que tu veux. Je consens qu'il me voie.
Je lui veux bien encore accorder cette joie.
Pylade va bientôt conduire ici ses pas ;
Mais si je m'en croyais, je ne le verrais pas.

CLÉONE

Et qu'est-ce que sa vue a pour vous de funeste* ?
390 Madame, n'est-ce pas toujours le même Oreste
Dont vous avez cent fois souhaité le retour,
Et dont vous regrettiez la constance et l'amour ?

HERMIONE

C'est cet amour payé de trop d'ingratitude*
Qui me rend en ces lieux sa présence si rude [1].
395 Quelle honte pour moi, quel triomphe pour lui,
De voir mon infortune égaler son ennui* ! ;
Est-ce là, dira-t-il, cette fière Hermione ?
Elle me dédaignait ; un autre l'abandonne.
L'ingrate*, qui mettait son cœur à si haut prix,
400 Apprend donc à son tour à souffrir des mépris* ?
Ah Dieux !

---

1. Rude : « fâcheux, dur, difficile, cruel » (Furetière).

CLÉONE

Ah ! dissipez ces indignes alarmes* :
Il a trop bien senti le pouvoir de vos charmes*.
Vous croyez qu'un amant* vienne vous insulter ?
Il vous rapporte un cœur qu'il n'a pu vous ôter.
405 Mais vous ne dites point ce que vous mande un père [1].

HERMIONE

Dans ses retardements si Pyrrhus persévère [2],
À la mort du Troyen s'il ne veut consentir,
Mon père avec les Grecs m'ordonne de partir.

CLÉONE

Hé bien, Madame, hé bien ! écoutez donc Oreste.
410 Pyrrhus a commencé, faites au moins le reste.
Pour bien faire, il faudrait que vous le prévinssiez*.
Ne m'avez-vous pas dit que vous le haïssiez ?

HERMIONE

Si je le hais, Cléone ! Il y va de ma gloire*,
Après tant de bontés dont il perd la mémoire.
415 Lui qui me fut si cher, et qui m'a pu trahir,
Ah ! je l'ai trop aimé pour ne le point haïr.

---

1. La délégation grecque a donc apporté un message de Ménélas à Hermione. Ce message évite à Oreste d'avoir à rappeler à Hermione le motif de son ambassade, et permet que leur entretien (II, 2) roule directement sur le refus de Pyrrhus. Toutefois, il est peu vraisemblable que le dépositaire du message fût un autre qu'Oreste, qui l'a donc fait remettre à Hermione. Mais par qui, sinon Pylade, qu'Oreste, à la fin de la scène 1 de l'acte I, a envoyé auprès d'Hermione pour préparer leur entrevue (v. 141-142) ? Or il n'a pas été question d'un tel message. C'est peut-être qu'évoquer ce message aurait manifesté, de la part d'Oreste, une présence d'esprit peu compatible avec le trouble de ses dernières répliques. Racine aurait alors privilégié localement la peinture de la passion au détriment de la préparation rigoureuse de la suite.
2. Si Pyrrhus continue de retarder (son mariage avec Hermione).

CLÉONE

Fuyez-le donc, Madame ; et puisqu'on vous adore...

HERMIONE

Ah ! laisse à ma fureur* le temps de croître encore ;
Contre mon ennemi laisse-moi m'assurer [1] :
420 Cléone, avec horreur je m'en veux séparer.
Il n'y travaillera que trop bien, l'infidèle* !

CLÉONE

Quoi ? vous en attendez quelque injure* nouvelle ?
Aimer une captive, et l'aimer à vos yeux,
Tout cela n'a donc pu vous le rendre odieux ?
425 Après ce qu'il a fait, que saurait-il donc faire ?
Il vous aurait déplu, s'il pouvait vous déplaire.

HERMIONE

Pourquoi veux-tu, cruelle, irriter* mes ennuis* ?
Je crains de me connaître en l'état où je suis.
De tout ce que tu vois tâche de ne rien croire ;
430 Crois que je n'aime plus, vante-moi ma victoire ;
Crois que dans son dépit mon cœur est endurci,
Hélas ! et s'il se peut, fais-le-moi croire aussi.
Tu veux que je le fuie. Hé bien ! rien ne m'arrête :
Allons. N'envions plus son indigne conquête ;
435 Que sur lui sa captive étende son pouvoir.
Fuyons... Mais si l'ingrat* rentrait dans son devoir !
Si la foi* dans son cœur retrouvait quelque place !
S'il venait à mes pieds me demander sa grâce !
Si sous mes lois, Amour, tu pouvais l'engager !
440 S'il voulait !... Mais l'ingrat* ne veut que m'outrager.
Demeurons toutefois pour troubler leur fortune* ;
Prenons quelque plaisir à leur être importune ;
Ou le forçant de rompre un nœud si solennel,

---

1. Assurer : « rendre ferme » (Furetière).

Aux yeux de tous les Grecs rendons-le criminel.
445 J'ai déjà sur le fils attiré leur colère ;
Je veux qu'on vienne encor lui demander la mère [1].
Rendons-lui les tourments qu'elle me fait souffrir :
Qu'elle le perde*, ou bien qu'il la fasse périr.

CLÉONE

Vous pensez que des yeux toujours ouverts aux larmes
450 Se plaisent à troubler le pouvoir de vos charmes*,
Et qu'un cœur accablé de tant de déplaisirs*
De son persécuteur ait brigué [2] les soupirs ?
Voyez si sa douleur en paraît soulagée.
Pourquoi donc les chagrins où son âme est plongée ?
455 Contre un amant* qui plaît pourquoi tant de fierté* ?

HERMIONE

Hélas ! pour mon malheur, je l'ai trop écouté [3].
Je n'ai point du silence affecté le mystère :
Je croyais sans péril pouvoir être sincère ;
Et sans armer mes yeux d'un moment de rigueur*,
460 Je n'ai pour lui parler consulté que mon cœur.
Et qui ne se serait comme moi déclarée
Sur la foi* d'une amour [4] si saintement jurée ?

---

1. Hermione a donc informé les Grecs de la survie d'Astyanax à la cour de Pyrrhus : c'est elle qui est ainsi à l'origine de l'ambassade confiée à Oreste. « La jalousie et les emportements » du « caractère » d'Hermione (Première préface, p. 14) sont repris de l'*Andromaque* d'Euripide, où Hermione voulait faire mourir Andromaque et son fils avec le soutien de son père Ménélas (voir Dossier, 1).
2. Ait recherché avec empressement, provoqué volontairement.
3. Hermione, aveuglée par la jalousie, ne répond pas aux objections de Cléone, qu'elle semble ne pas même entendre. La scène se dédouble : tout se passe comme si Hermione évoluait dans une autre pièce, dans laquelle Andromaque est une coquette qui a cherché à séduire Pyrrhus ; le dialogue avec Cléone devient un monologue d'Hermione (voir Présentation).
4. « Amour » peut être indifféremment masculin ou féminin au XVIIe siècle.

Me voyait-il de l'œil qu'il me voit aujourd'hui ?
Tu t'en souviens encor, tout conspirait pour lui.
465 Ma famille vengée, et les Grecs dans la joie,
Nos vaisseaux tout chargés des dépouilles de Troie,
Les exploits de son père effacés par les siens,
Ses feux* que je croyais plus ardents que les miens,
Mon cœur, toi-même enfin de sa gloire* éblouie,
470 Avant qu'il me trahît, vous m'avez tous trahie [1].
Mais c'en est trop, Cléone, et quel que soit Pyrrhus,
Hermione est sensible, Oreste a des vertus.
Il sait aimer du moins, et même sans qu'on l'aime ;
Et peut-être il saura se faire aimer lui-même.
475 Allons : qu'il vienne enfin.

CLÉONE

Madame, le voici.

HERMIONE

Ah ! je ne croyais pas qu'il fût si près d'ici.

Scène 2

HERMIONE, ORESTE, CLÉONE

HERMIONE

Le croirai-je, Seigneur, qu'un reste de tendresse
Vous fasse ici chercher une triste* princesse ?
Ou ne dois-je imputer qu'à votre seul devoir
480 L'heureux empressement qui vous porte à me voir ?

ORESTE

Tel est de mon amour l'aveuglement funeste*.

---

1. Dans cette tirade, Racine transpose plusieurs des reproches que
Phyllis adresse à Démophon dans la deuxième des *Héroïdes* d'Ovide.
La récriture de ce texte, déploration d'une femme abandonnée laissée
sans réponse, accentue l'aspect de monologue de cette réplique.

Vous le savez, Madame ; et le destin d'Oreste
Est de venir sans cesse adorer vos attraits,
Et de jurer toujours qu'il n'y viendra jamais.
485 Je sais que vos regards vont rouvrir mes blessures,
Que tous mes pas vers vous sont autant de parjures [1] :
Je le sais, j'en rougis. Mais j'atteste les Dieux,
Témoins de la fureur* de mes derniers adieux,
Que j'ai couru partout où ma perte certaine
490 Dégageait mes serments et finissait ma peine [2].
J'ai mendié la mort chez des peuples cruels [3]
Qui n'apaisaient leurs Dieux que du sang des mortels :
Ils [4] m'ont fermé leur temple ; et ces peuples barbares
De mon sang prodigué sont devenus avares [5].
495 Enfin je viens à vous, et je me vois réduit
À chercher dans vos yeux une mort qui me fuit.
Mon désespoir n'attend que leur indifférence :
Ils n'ont qu'à m'interdire un reste d'espérance,
Ils n'ont, pour avancer cette mort où je cours,
500 Qu'à me dire une fois ce qu'ils m'ont dit toujours.
Voilà, depuis un an, le seul soin* qui m'anime.
Madame, c'est à vous de prendre une victime
Que les Scythes auraient dérobée à vos coups,
Si j'en avais trouvé d'aussi cruels* que vous.

HERMIONE

505 Quittez, Seigneur, quittez ce funeste* langage.
À des soins* plus pressants la Grèce vous engage.
Que parlez-vous du Scythe et de mes cruautés* ?
Songez à tous ces rois que vous représentez.

---

1. Au serment fait de fuir Hermione (évoqué v. 484).
2. Aurait dû me libérer de mes serments et finir ma peine.
3. Les Scythes, peuple d'Asie centrale, réputés pour leur cruauté. Allusion à *Iphigénie en Tauride* d'Euripide, où Oreste est condamné à être sacrifié en l'honneur d'Artémis ; sa sœur Iphigénie, prêtresse de la déesse, le reconnaît *in extremis* et le sauve. Mais dans la pièce d'Euripide, Oreste ne recherchait pas la mort.
4. Leurs dieux.
5. N'ont pas voulu verser mon sang, que je leur offrais pourtant.

Faut-il que d'un transport* leur vengeance dépende ?
510 Est-ce le sang d'Oreste enfin qu'on vous demande ?
Dégagez-vous des soins* dont vous êtes chargé.

ORESTE

Les refus de Pyrrhus m'ont assez dégagé,
Madame : il me renvoie ; et quelque autre puissance
Lui fait du fils d'Hector embrasser la défense.

HERMIONE

515 L'infidèle* !

ORESTE

　　　Ainsi donc, tout prêt à le quitter,
Sur mon propre destin je viens vous consulter.
Déjà même je crois entendre la réponse
Qu'en secret contre moi votre haine prononce.

HERMIONE

Hé quoi ? toujours injuste en vos tristes* discours,
520 De mon inimitié vous plaindrez-vous toujours ?
Quelle est cette rigueur* tant de fois alléguée ?
J'ai passé dans l'Épire, où j'étais reléguée :
Mon père l'ordonnait. Mais qui sait si depuis
Je n'ai point en secret partagé vos ennuis* ?
525 Pensez-vous avoir seul éprouvé des alarmes* ?
Que l'Épire jamais n'ait vu couler mes larmes ?
Enfin qui vous a dit que malgré mon devoir
Je n'ai pas quelquefois souhaité de vous voir ?

ORESTE

Souhaité de me voir ! Ah ! divine Princesse…
530 Mais, de grâce, est-ce à moi que ce discours s'adresse ?
Ouvrez vos yeux : songez qu'Oreste est devant vous,
Oreste, si longtemps l'objet de leur courroux.

HERMIONE

Oui, c'est vous dont l'amour, naissant avec leurs charmes*,
Leur apprit le premier le pouvoir de leurs armes ;
535 Vous que mille vertus me forçaient d'estimer ;
→ Vous que j'ai plaint, enfin que je voudrais aimer.

ORESTE

→ Je vous entends[1]. Tel est mon partage funeste* :
→ Le cœur est pour Pyrrhus, et les vœux* pour Oreste.

HERMIONE

Ah ! ne souhaitez pas le destin de Pyrrhus :
540 Je vous haïrais trop.

ORESTE

                    Vous m'en aimeriez plus.
Ah ! que vous me verriez d'un regard bien contraire !
→ Vous me voulez aimer, et je ne puis vous plaire ;
Et l'amour seul alors se faisant obéir,
Vous m'aimeriez, Madame, en me voulant haïr.
545 Ô Dieux ! tant de respects, une amitié* si tendre…
Que de raisons pour moi, si vous pouviez m'entendre[2] !
Vous seule pour Pyrrhus disputez[3] aujourd'hui,
Peut-être malgré vous, sans doute* malgré lui.
Car enfin il vous hait ; son âme ailleurs éprise
550 N'a plus…

HERMIONE

              Qui vous l'a dit, Seigneur, qu'il me méprise* ?
Ses regards, ses discours vous l'ont-ils donc appris ?
Jugez-vous que ma vue inspire des mépris*,
Qu'elle allume en un cœur des feux* si peu durables ?
Peut-être d'autres yeux me sont plus favorables.

---

1. Je comprends bien ce que vous dites.
2. Que d'arguments en ma faveur, si vous étiez disposé à les écouter.
3. Plaidez, défendez sa cause.

ORESTE

555 Poursuivez : il est beau de m'insulter ainsi.
Cruelle*, c'est donc moi qui vous méprise* ici ?
Vos yeux n'ont pas assez éprouvé [1] ma constance ?
Je suis donc un témoin* de leur peu de puissance ?
Je les ai méprisés* ? Ah ! qu'ils voudraient bien voir
560 Mon rival, comme moi, mépriser* leur pouvoir !

HERMIONE

Que m'importe, Seigneur, sa haine ou sa tendresse ?
Allez contre un rebelle armer toute la Grèce ;
Rapportez-lui le prix de sa rébellion ;
Qu'on fasse de l'Épire un second Ilion [2].
565 Allez. Après cela direz-vous que je l'aime ?

ORESTE

Madame, faites plus, et venez-y vous-même.
Voulez-vous demeurer pour otage en ces lieux ?
Venez dans tous les cœurs faire parler vos yeux.
Faisons de notre haine une commune attaque.

HERMIONE

570 Mais, Seigneur, cependant [3] s'il épouse Andromaque ?

ORESTE

Hé ! Madame.

HERMIONE

Songez quelle honte pour nous
Si d'une Phrygienne [4] il devenait l'époux !

---

1. Mis à l'épreuve.
2. Cette invitation à refaire une seconde guerre de Troie est transposée de
la lettre d'Hermione à Oreste dans les *Héroïdes* d'Ovide (VIII, v. 15-26).
3. Pendant ce temps.
4. Troyenne.

ORESTE

Et vous le haïssez ? Avouez-le, Madame,
L'amour n'est pas un feu* qu'on renferme en une âme ;
575 Tout nous trahit, la voix, le silence, les yeux ;
Et les feux* mal couverts n'en éclatent que mieux [1].

HERMIONE

Seigneur, je le vois bien, votre âme prévenue [2]
Répand sur mes discours le venin qui la tue,
Toujours dans mes raisons cherche quelque détour [3],
580 Et croit qu'en moi la haine est un effort d'amour.
Il faut donc m'expliquer : vous agirez ensuite.
Vous savez qu'en ces lieux mon devoir m'a conduite ;
Mon devoir m'y retient, et je n'en puis partir
Que [4] mon père ou Pyrrhus ne m'en fasse sortir.
585 De la part de mon père allez lui faire entendre
Que l'ennemi des Grecs ne peut être son gendre :
Du Troyen ou de moi faites-le décider ;
Qu'il songe qui des deux il veut rendre ou garder ;
Enfin qu'il me renvoie, ou bien qu'il vous le livre.
590 Adieu : s'il y consent, je suis prête à vous suivre.

Scène 3

ORESTE, *seul*.

Oui, oui, vous me suivrez, n'en doutez nullement :
Je vous réponds déjà de son consentement.
Je ne crains pas enfin que Pyrrhus la retienne :
Il n'a devant les yeux que sa chère Troyenne ;

---

1. Cette idée est reprise également des *Héroïdes* d'Ovide (XII, v. 37-38 ; XVI, v. 7-8).
2. Pleine de préventions, d'idées préconçues.
3. « Prétexte, finesse, biais, procédé peu sincère » (Furetière).
4. À moins que.

595 Tout autre objet [1] le blesse ; et peut-être aujourd'hui
    Il n'attend qu'un prétexte à l'éloigner de lui.
    Nous n'avons qu'à parler : c'en est fait. Quelle joie
    D'enlever à l'Épire une si belle proie !
    Sauve tout ce qui reste et de Troie et d'Hector,
600 Garde son fils, sa veuve, et mille autres encor,
    Épire : c'est assez qu'Hermione rendue
    Perde à jamais tes bords et ton prince de vue.
    Mais un heureux destin le conduit en ces lieux.
    Parlons. À tant d'attraits, Amour, ferme ses yeux !

Scène 4

PYRRHUS. ORESTE, PHŒNIX

PYRRHUS

605 Je vous cherchais, Seigneur. Un peu de violence
    M'a fait de vos raisons combattre la puissance,
    Je l'avoue ; et depuis que je vous ai quitté,
    J'en ai senti la force et connu l'équité.
    J'ai songé, comme vous, qu'à la Grèce, à mon père,
610 À moi-même, en un mot, je devenais contraire ;
    Que je relevais Troie, et rendais imparfait
    Tout ce qu'a fait Achille et tout ce que j'ai fait.
    Je ne condamne plus un courroux légitime,
    Et l'on vous va, Seigneur, livrer votre victime.

ORESTE

615 Seigneur, par ce conseil [2] prudent et rigoureux,
    C'est acheter la paix du sang d'un malheureux.

PYRRHUS

Oui, mais je veux, Seigneur, l'assurer davantage :
D'une éternelle paix Hermione est le gage ;

---

1. La vue de toute autre femme.
2. « Résolution » (Furetière).

Je l'épouse. Il semblait qu'un spectacle si doux
620   N'attendît en ces lieux qu'un témoin tel que vous.
Vous y représentez tous les Grecs et son père,
Puisqu'en vous Ménélas voit revivre son frère [1].
Voyez-la donc. Allez. Dites-lui que demain
J'attends, avec la paix, son cœur de votre main.

ORESTE

625   Ah Dieux !

Scène 5

PYRRHUS, PHŒNIX

PYRRHUS

Hé bien, Phœnix, l'amour est-il le maître ?
Tes yeux refusent-ils encor de me connaître ?

PHŒNIX

Ah ! je vous reconnais ; et ce juste courroux,
Ainsi qu'à tous les Grecs, Seigneur, vous rend à vous.
Ce n'est plus le jouet d'une flamme* servile :
630   C'est Pyrrhus, c'est le fils et le rival d'Achille,
Que la gloire* à la fin ramène sous ses lois,
Qui triomphe de Troie une seconde fois.

PYRRHUS

Dis plutôt qu'aujourd'hui commence ma victoire.
D'aujourd'hui seulement je jouis de ma gloire* ;
635   Et mon cœur, aussi fier que tu l'as vu soumis,
Croit avoir en l'amour vaincu mille ennemis.
Considère, Phœnix, les troubles que j'évite,

---

1. Racine situe ainsi l'action de la tragédie après l'assassinat
d'Agamemnon (frère de Ménélas et père d'Oreste).

Quelle foule de maux l'amour traîne à sa suite,
Que d'amis, de devoirs j'allais sacrifier,
640 Quels périls… Un regard m'eût tout fait oublier.
Tous les Grecs conjurés fondaient sur un rebelle.
Je trouvais du plaisir à me perdre* pour elle.

PHŒNIX

Oui, je bénis, Seigneur, l'heureuse cruauté*
Qui vous rend…

PYRRHUS

        Tu l'as vu, comme elle m'a traité [1].
645 Je pensais, en voyant sa tendresse alarmée*,
Que son fils me la dût renvoyer désarmée.
J'allais voir le succès* de ses embrassements :
Je n'ai trouvé que pleurs mêlés d'emportements.
Sa misère l'aigrit ; et toujours plus farouche,
650 Cent fois le nom d'Hector est sorti de sa bouche.
Vainement à son fils, j'assurais mon secours :
« C'est Hector, disait-elle en l'embrassant toujours ;
Voilà ses yeux, sa bouche, et déjà son audace ;
C'est lui-même, c'est toi, cher époux, que j'embrasse. »
655 Et quelle est sa pensée ? Attend-elle en ce jour
Que je lui laisse un fils pour nourrir son amour ?

PHŒNIX

Sans doute*. C'est le prix que vous gardait l'ingrate*.
Mais laissez-la, Seigneur.

PYRRHUS

        Je vois ce qui la flatte*.
Sa beauté la rassure ; et malgré mon courroux,

---

1. La rencontre entre Pyrrhus et Andromaque (dont Phœnix a été témoin) annoncée à la fin de la scène 4 de l'acte I (v. 383) s'est donc déroulée, hors scène, pendant l'entracte ou les premières scènes de l'acte II.

660 L'orgueilleuse m'attend encore à ses genoux[1].
Je la verrais aux miens, Phœnix, d'un œil tranquille.
Elle est veuve d'Hector, et je suis fils d'Achille :
Trop de haine sépare Andromaque et Pyrrhus.

PHŒNIX

Commencez donc, Seigneur, à ne m'en parler plus.
665 Allez voir Hermione ; et content[2] de lui plaire,
Oubliez à ses pieds jusqu'à votre colère.
Vous-même à cet hymen venez la disposer.
Est-ce sur un rival qu'il s'en faut reposer ?
Il ne l'aime que trop.

PYRRHUS

                    Crois-tu, si je l'épouse,
670 Qu'Andromaque en son cœur n'en sera pas jalouse[3] ?

PHŒNIX

Quoi ? toujours Andromaque occupe votre esprit ?
Que vous importe, ô Dieux ! sa joie ou son dépit ?
Quel charme*, malgré vous, vers elle vous attire ?

PYRRHUS

Non, je n'ai pas bien dit tout ce qu'il lui faut dire :
675 Ma colère à ses yeux n'a paru qu'à demi ;

---

1. Comme Hermione dans la scène 1 de l'acte II, Pyrrhus, obsédé par
Andromaque, est sourd aux répliques de Phœnix, et ses répliques,
depuis le vers 644, glissent vers le monologue ; la passion lui fait imaginer ici, comme à Hermione plus haut, une Andromaque coquette sûre
de ses charmes, puis, aux vers 669-670, une Andromaque jalouse d'Hermione (voir Présentation).
2. Vous contentant.
3. Cette réplique, et plus largement toute cette scène, où Pyrrhus manifeste sa passion pour Andromaque au moment même où il prétend
l'avoir vaincue, a été jugée indigne d'une tragédie : Boileau, entre
autres, y a vu une scène de comédie, et l'abbé Dubos rapporte en 1719
les rires que suscitent ce passage dans le public (voir Dossier, 5).

Elle ignore à quel point je suis son ennemi.
Retournons-y. Je veux la braver à sa vue [1],
Et donner à ma haine une libre étendue.
Viens voir tous ses attraits, Phœnix, humiliés.
680 Allons.

PHŒNIX

Allez, Seigneur, vous jeter à ses pieds.
Allez, en lui jurant que votre âme l'adore,
À de nouveaux mépris* l'encourager encore.

PYRRHUS

Je le vois bien, tu crois que prêt à l'excuser
Mon cœur court après elle et cherche à s'apaiser.

PHŒNIX

685 Vous aimez : c'est assez.

PYRRHUS

Moi l'aimer ? une ingrate*
Qui me hait d'autant plus que mon amour la flatte* ?
Sans parents, sans amis, sans espoir que sur moi,
Je puis perdre* son fils ; peut-être je le doi [2].
Étrangère... que dis-je ? esclave dans l'Épire,
690 Je lui donne son fils, mon âme, mon empire ;
Et je ne puis gagner dans son perfide* cœur
D'autre rang que celui de son persécuteur ?
Non, non, je l'ai juré, ma vengeance est certaine :
Il faut bien une fois justifier sa haine.
695 J'abandonne son fils. Que de pleurs vont couler !
De quel nom sa douleur me va-t-elle appeler !
Quel spectacle pour elle aujourd'hui se dispose !
Elle en mourra, Phœnix, et j'en serai la cause.
C'est lui mettre moi-même un poignard dans le sein.

---

1. En face.
2. Licence poétique pour « dois ».

PHŒNIX

700 Et pourquoi donc en faire éclater le dessein ?
Que ne consultiez-vous tantôt votre faiblesse ?

PYRRHUS

Je t'entends. Mais excuse un reste de tendresse.
Crains-tu pour ma colère un si faible combat ?
D'un amour qui s'éteint c'est le dernier éclat.
705 Allons. À tes conseils, Phœnix, je m'abandonne.
Faut-il livrer son fils ? faut-il voir Hermione ?

PHŒNIX

Oui, voyez-la, Seigneur, et par des vœux* soumis
Protestez-lui [1]...

PYRRHUS

Faisons tout ce que j'ai promis.

---

1. Protester : « promettre fortement » (Furetière).

ACTE III

Scène première

ORESTE, PYLADE

PYLADE

Modérez donc, Seigneur, cette fureur* extrême.
710 Je ne vous connais [1] plus : vous n'êtes plus vous-même.
Souffrez...

ORESTE

Non, tes conseils ne sont plus de saison,
Pylade, je suis las d'écouter la raison.
C'est traîner trop longtemps ma vie et mon supplice :
Il faut que je l'enlève, ou bien que je périsse [2].
715 Le dessein en est pris, je le veux achever.
Oui, je le veux.

PYLADE

Hé bien, il la faut enlever :
J'y consens. Mais songez cependant où vous êtes.
Que croira-t-on de vous, à voir ce que vous faites ?
Dissimulez : calmez ce transport* inquiet.

---

1. Reconnais.
2. Écho du vers 100 (I, 1), où figurait une troisième possibilité (« fléchir » Hermione), désormais écartée. La tragédie d'Oreste avance ainsi par la fermeture progressive de l'éventail des possibles initialement déployé.

720 Commandez à vos yeux de garder le secret.
Ces gardes, cette cour, l'air qui vous environne,
Tout dépend de Pyrrhus, et surtout Hermione.
À ses regards surtout cachez votre courroux.
Ô Dieux ! en cet état pourquoi la cherchiez-vous ?

ORESTE

725 Que sais-je ? De moi-même étais-je alors le maître ?
La fureur* m'emportait, et je venais peut-être
Menacer à la fois l'ingrate* et son amant*.

PYLADE

Et quel était[1] le fruit de cet emportement ?

ORESTE

Et quelle âme, dis-moi, ne serait éperdue
730 Du coup dont ma raison vient d'être confondue[2] ?
Il épouse, dit-il, Hermione demain ;
Il veut, pour m'honorer, la tenir de ma main.
Ah ! plutôt cette main dans le sang du barbare...

PYLADE

Vous l'accusez, Seigneur, de ce destin bizarre[3].
735 Cependant, tourmenté de ses propres desseins,
Il est peut-être à plaindre autant que je vous plains.

ORESTE

Non, non, je le connais, mon désespoir le flatte* ;
Sans moi, sans mon amour, il dédaignait l'ingrate* ;
Ses charmes* jusque-là n'avaient pu le toucher :
740 Le cruel* ne la prend que pour me l'arracher.
Ah Dieux ! c'en était fait : Hermione gagnée

---

1. Quel aurait été.
2. Jetée dans la confusion, bouleversée, troublée.
3. « Capricieux, fâcheux, importun, désagréable » (Richelet).

Pour jamais de sa vue allait être éloignée.
Son cœur, entre l'amour et le dépit confus [1],
Pour se donner à moi n'attendait qu'un refus ;
745 Ses yeux s'ouvraient, Pylade ; elle écoutait Oreste,
Lui parlait, le plaignait. Un mot eût fait le reste.

PYLADE

Vous le croyez.

ORESTE

Hé quoi ? ce courroux enflammé
Contre un ingrat*…

PYLADE

Jamais il ne fut plus aimé.
Pensez-vous, quand Pyrrhus vous l'aurait accordée,
750 Qu'un prétexte tout prêt ne l'eût pas retardée ?
M'en croirez-vous ? Lassé de ses trompeurs attraits,
Au lieu de l'enlever, fuyez-la pour jamais.
Quoi ? votre amour se veut charger d'une furie*
Qui vous détestera, qui toute votre vie
755 Regrettant un hymen tout prêt à s'achever,
Voudra…

ORESTE

C'est pour cela que je veux l'enlever.
Tout lui rirait, Pylade ; et moi, pour mon partage,
Je n'emporterais donc qu'une inutile rage ?
J'irais loin d'elle encor tâcher de l'oublier ?
760 Non, non, à mes tourments je veux l'associer.
C'est trop gémir tout seul. Je suis las qu'on me plaigne :
Je prétends qu'à mon tour l'inhumaine* me craigne,
Et que ses yeux cruels*, à pleurer condamnés,
Me rendent tous les noms que je leur ai donnés.

---

1. Hésitant entre l'amour et le dépit.

PYLADE

765 Voilà donc le succès* qu'aura votre ambassade :
Oreste ravisseur !

ORESTE

Et qu'importe, Pylade ?
Quand nos États vengés jouiront de mes soins*,
L'ingrate* de mes pleurs jouira-t-elle moins ?
Et que me servira que la Grèce m'admire,
770 Tandis que je serai la fable de l'Épire ?
Que veux-tu ? Mais, s'il faut ne te rien déguiser,
Mon innocence enfin commence à me peser.
Je ne sais de tout temps quelle injuste puissance
Laisse le crime en paix et poursuit l'innocence.
775 De quelque part sur moi que je tourne les yeux [1],
Je ne vois que malheurs qui condamnent les Dieux.
Méritons leur courroux, justifions leur haine,
Et que le fruit du crime en précède la peine.
Mais toi, par quelle erreur veux-tu toujours sur toi
780 Détourner un courroux qui ne cherche que moi ?
Assez et trop longtemps mon amitié* t'accable :
Évite un malheureux, abandonne un coupable.
Cher Pylade, crois-moi, ta pitié te séduit [2].
Laisse-moi des périls dont j'attends tout le fruit.
785 Porte aux Grecs cet enfant que Pyrrhus m'abandonne.
Va-t'en.

PYLADE

Allons, Seigneur, enlevons Hermione.
Au travers des périls un grand cœur se fait jour.
Que ne peut l'amitié* conduite par l'amour ?
Allons de tous vos Grecs encourager le zèle [3].
790 Nos vaisseaux sont tout prêts, et le vent nous appelle.

---

1. Quel que soit l'angle sous lequel je considère ma vie.
2. Te trompe.
3. « Ardeur, passion que l'on a pour quelque chose » (Furetière).

Je sais de ce palais tous les détours obscurs ;
Vous voyez que la mer en vient battre les murs ;
Et cette nuit, sans peine, une secrète voie
Jusqu'en votre vaisseau conduira votre proie.

ORESTE

795 J'abuse, cher ami, de ton trop d'amitié*.
Mais pardonne à des maux dont toi seul as pitié ;
Excuse un malheureux qui perd tout ce qu'il aime,
Que tout le monde hait, et qui se hait lui-même.
Que ne puis-je à mon tour dans un sort plus heureux…

PYLADE

800 Dissimulez, Seigneur : c'est tout ce que je veux.
Gardez [1] qu'avant le coup* votre dessein n'éclate :
Oubliez jusque-là qu'Hermione est ingrate* ;
Oubliez votre amour. Elle vient, je la voi [2].

ORESTE

Va-t'en. Réponds-moi d'elle, et je réponds de moi.

Scène 2

HERMIONE, ORESTE, CLÉONE

ORESTE

805 Hé bien ! mes soins* vous ont rendu votre conquête.
J'ai vu Pyrrhus, Madame, et votre hymen s'apprête.

HERMIONE

On le dit ; et de plus on vient de m'assurer
Que vous ne me cherchiez que pour m'y préparer.

---

1. Prenez garde.
2. Licence poétique pour « vois ».

ORESTE

Et votre âme à ses vœux* ne sera pas rebelle ?

HERMIONE

naïveté de l'H', aveuglem

810 Qui l'eût cru, que Pyrrhus ne fût pas infidèle* ?
Que sa flamme* attendrait si tard pour éclater ?
Qu'il reviendrait à moi quand je l'allais quitter ?
Je veux croire avec vous qu'il redoute la Grèce,
Qu'il suit son intérêt plutôt que sa tendresse,
815 Que mes yeux sur votre âme étaient plus absolus [1].

ORESTE

Non, Madame : il vous aime, et je n'en doute plus.
Vos yeux ne font-ils pas tout ce qu'ils veulent faire ?
Et vous ne vouliez pas sans doute* lui déplaire.

HERMIONE

Mais que puis-je, Seigneur ? On a promis ma foi*.
820 Lui ravirai-je un bien qu'il ne tient pas de moi ?
L'amour ne règle pas le sort d'une princesse :
La gloire* d'obéir est tout ce qu'on nous laisse [2].
Cependant je partais, et vous avez pu voir
Combien je relâchais pour vous de mon devoir.

ORESTE

825 Ah ! que vous saviez bien, cruelle*… Mais, Madame,
Chacun peut à son choix disposer de son âme.
La vôtre était à vous. J'espérais ; mais enfin
Vous l'avez pu donner sans me faire un larcin.
Je vous accuse aussi bien moins que la fortune*.

---

1. Avaient un pouvoir plus absolu.
2. Cette maxime de soumission héroïque, fréquente dans les tragédies au XVIIe siècle, provient d'un passage alors très admiré des *Annales* de Tacite, où un accusé déclare à l'empereur Tibère : « C'est à toi que les dieux ont donné de décider souverainement de toutes choses, à nous a été laissée la gloire d'obéir » (VI, VIII).

830 Et pourquoi vous lasser d'une plainte importune ?
Tel est votre devoir, je l'avoue ; et le mien
Est de vous épargner un si triste* entretien.

Scène 3

HERMIONE, CLÉONE

HERMIONE

Attendais-tu, Cléone, un courroux si modeste [1] ?

CLÉONE

La douleur qui se tait n'en est que plus funeste*.
835 Je le plains : d'autant plus qu'auteur de son ennui*,
Le coup* qui l'a perdu* n'est parti que de lui.
Comptez depuis quel temps votre hymen se prépare.
Il a parlé, Madame, et Pyrrhus se déclare.

HERMIONE

Tu crois que Pyrrhus craint ? Et que craint-il encor ?
840 Des peuples qui dix ans ont fui devant Hector,
Qui cent fois, effrayés de l'absence d'Achille,
Dans leurs vaisseaux brûlants ont cherché leur asile,
Et qu'on verrait encor, sans l'appui de son fils,
Redemander Hélène aux Troyens impunis ?
845 Non, Cléone, il n'est point ennemi de lui-même ;
Il veut tout ce qu'il fait ; et s'il m'épouse, il m'aime. ←
Mais qu'Oreste à son gré m'impute ses douleurs :
N'avons-nous d'entretien que celui de ses pleurs ?
Pyrrhus revient à nous. Hé bien ! chère Cléone,
850 Conçois-tu les transports* de l'heureuse Hermione ?
Sais-tu quel est Pyrrhus ? T'es-tu fait raconter
Le nombre des exploits… Mais qui les peut compter ?
Intrépide, et partout suivi de la victoire,

---

1. « Qui a de la modération, de la sagesse » (Furetière).

Charmant*, fidèle* enfin, rien ne manque à sa gloire* [1].
855 Songe...

CLÉONE

Dissimulez. Votre rivale en pleurs
Vient à vos pieds, sans doute*, apporter ses douleurs.

HERMIONE

Dieux ! ne puis-je à ma joie abandonner mon âme ?
Sortons : que lui dirais-je ?

Scène 4

ANDROMAQUE, HERMIONE, CLÉONE, CÉPHISE

ANDROMAQUE

Où fuyez-vous, Madame ?
N'est-ce point à vos yeux un spectacle assez doux
860 Que la veuve d'Hector pleurante à vos genoux ?
Je ne viens point ici, par de jalouses larmes,
Vous envier un cœur qui se rend à vos charmes*.
Par une main cruelle, hélas ! j'ai vu percer
Le seul où mes regards prétendaient s'adresser.
865 Ma flamme* par Hector fut jadis allumée ;
Avec lui dans la tombe elle s'est enfermée [2].
Mais il me reste un fils. Vous saurez quelque jour,

---

1. Nouvelle erreur d'interprétation d'Hermione, à qui sa passion fait imaginer un Pyrrhus résolument amoureux d'elle et « fidèle » à ses engagements en plus d'être un grand guerrier : le « caractère » de ce Pyrrhus affabulé est en somme celui d'un de ces « héros parfaits » de tragédie que moque Racine dans sa Première préface (p. 15).
2. Réécriture de deux vers de l'*Énéide* de Virgile, où Didon, sur le point de s'abandonner à sa passion pour Énée, réaffirme sa fidélité à son mari défunt : « Celui qui le premier m'unit à son destin a emporté mes amours : qu'il les garde avec lui, et qu'il les conserve dans son sépulcre ! » (IV, v. 28-29, éd. citée, p. 91).

Madame, pour un fils jusqu'où va notre amour ;
Mais vous ne saurez pas, du moins je le souhaite,
870 En quel trouble mortel son intérêt nous jette,
Lorsque de tant de biens qui pouvaient nous flatter*,
C'est le seul qui nous reste, et qu'on veut nous l'ôter.
Hélas ! lorsque lassés de dix ans de misère,
Les Troyens en courroux menaçaient votre mère,
875 J'ai su de mon Hector lui procurer l'appui [1].
Vous pouvez sur Pyrrhus ce que j'ai pu sur lui.
Que craint-on d'un enfant qui survit à sa perte ?
Laissez-moi le cacher en quelque île déserte.
Sur les soins* de sa mère on peut s'en assurer,
880 Et mon fils avec moi n'apprendra qu'à pleurer.

HERMIONE

Je conçois vos douleurs. Mais un devoir austère,
Quand mon père a parlé, m'ordonne de me taire.
C'est lui qui de Pyrrhus fait agir le courroux.
S'il faut fléchir* Pyrrhus, qui le peut mieux que vous ?
885 Vos yeux assez longtemps ont régné sur son âme.
Faites-le prononcer [2] : j'y souscrirai, Madame.

Scène 5

ANDROMAQUE, CÉPHISE

ANDROMAQUE

Quel mépris la cruelle* attache à ses refus !

CÉPHISE

Je croirais ses conseils, et je verrais Pyrrhus.

---

1. Hélène affirme dans l'*Iliade* (XXIV, v. 768-772) qu'Hector l'a toujours soutenue face aux reproches des Troyens ; mais sans préciser que
ce fût à l'initiative d'Andromaque.
2. « Déclarer son sentiment sur quelque chose, décider, ordonner »
(Académie).

Un regard confondrait Hermione et la Grèce... [1]
890 Mais lui-même il vous cherche.

Scène 6

PYRRHUS, ANDROMAQUE, PHŒNIX, CÉPHISE

PYRRHUS, *à Phœnix.*

Où donc est la Princesse [2] ?
Ne m'avais-tu pas dit qu'elle était en ces lieux ?

PHŒNIX

Je le croyais.

ANDROMAQUE, *à Céphise.*

Tu vois le pouvoir de mes yeux.

PYRRHUS

Que dit-elle, Phœnix ?

ANDROMAQUE

Hélas ! tout m'abandonne.

---

1. Un regard (d'Andromaque à Pyrrhus) vaincrait, réduirait à l'impuissance Hermione et la Grèce.
2. Pyrrhus entre en scène en croyant trouver Hermione, mais il tombe sur Andromaque. Localement, cette rencontre imprévue laisse les deux personnages à distance l'un de l'autre, ne s'adressant pas la parole : Racine vise le pathétique en peignant la passion irrésistible de Pyrrhus et le désespoir d'Andromaque, et en montrant que la vie d'Astyanax ne tient qu'à un fil (voir v. 900). Mais une telle situation, génératrice de quiproquos, n'est pas si éloignée d'une scène de comédie (voir Dossier, 5). À l'échelle de la pièce, c'est cette rencontre de hasard qui déclenche le dernier revirement de Pyrrhus en faveur d'Andromaque, à partir duquel, une fois que celle-ci a pris la décision exposée à la scène 1 de l'acte IV, tout s'enchaîne vers le dénouement. Ce revirement a certes été préparé par les atermoiements de Pyrrhus à la scène 5 de l'acte II ; mais Racine en fait reposer l'événement, décisif, sur l'arbitraire de cette rencontre imprévue, non sans une relative

PHŒNIX

Allons, Seigneur, marchons sur les pas d'Hermione.

CÉPHISE

895 Qu'attendez-vous ? rompez ce silence obstiné.

ANDROMAQUE

Il a promis mon fils.

CÉPHISE

Il ne l'a pas donné.

ANDROMAQUE

Non, non, j'ai beau pleurer, sa mort est résolue.

PYRRHUS

Daigne-t-elle sur nous tourner au moins la vue ?
Quel orgueil !

ANDROMAQUE

Je ne fais que l'irriter* encor.
900 Sortons.

PYRRHUS

Allons aux Grecs livrer le fils d'Hector.

ANDROMAQUE [1]

Ah ! Seigneur, arrêtez ! Que prétendez-vous faire ?
Si vous livrez le fils, livrez-leur donc la mère.

---

désinvolture au regard de l'exigence classique d'une liaison nécessaire de
cause à effet entre les actions.
1. Dans l'édition des *Œuvres* de Racine de 1736, qui s'appuie sur
« l'exemplaire des comédiens » de la Comédie-Française, figure ici une
didascalie : « *se jetant aux pieds de Pyrrhus* ».

Vos serments m'ont tantôt juré tant d'amitié* !
Dieux ! ne pourrai-je au moins toucher votre pitié ?
905 Sans espoir de pardon m'avez-vous condamnée ?

PYRRHUS

Phœnix vous le dira, ma parole est donnée.

ANDROMAQUE

Vous qui braviez pour moi tant de périls divers !

PYRRHUS

J'étais aveugle alors : mes yeux se sont ouverts.
Sa grâce à vos désirs pouvait être accordée ;
910 Mais vous ne l'avez pas seulement demandée.
C'en est fait.

ANDROMAQUE

Ah ! Seigneur, vous entendiez [1] assez
Des soupirs qui craignaient de se voir repoussés.
Pardonnez à l'éclat d'une illustre fortune*
Ce reste de fierté* qui craint d'être importune.
915 Vous ne l'ignorez pas : Andromaque sans vous
N'aurait jamais d'un maître embrassé les genoux.

PYRRHUS

Non, vous me haïssez ; et dans le fond de l'âme
Vous craignez de devoir quelque chose à ma flamme*.
Ce fils même, ce fils, l'objet de tant de soins*,
920 Si je l'avais sauvé, vous l'en aimeriez moins.
La haine, le mépris, contre moi tout s'assemble ;
Vous me haïssez plus que tous les Grecs ensemble.
Jouissez à loisir d'un si noble courroux.
Allons, Phœnix.

_____
1. Compreniez.

ANDROMAQUE

Allons rejoindre mon époux.

CÉPHISE

25 Madame…

ANDROMAQUE

Et que veux-tu que je lui dise encore ?
Auteur de tous mes maux, crois-tu qu'il les ignore ?
Seigneur, voyez l'état où vous me réduisez.
J'ai vu mon père mort, et nos murs embrasés ;
J'ai vu trancher les jours de ma famille entière,
30 Et mon époux sanglant traîné sur la poussière,
Son fils, seul avec moi, réservé pour les fers[1].
Mais que ne peut un fils ? Je respire, je sers.
J'ai fait plus : je me suis quelquefois consolée
Qu'ici, plutôt qu'ailleurs, le sort m'eût exilée ;
35 Qu'heureux dans son malheur, le fils de tant de rois,
Puisqu'il devait servir, fût tombé sous vos lois.
J'ai cru que sa prison deviendrait son asile.
Jadis Priam soumis fut respecté d'Achille :
J'attendais de son fils encor plus de bonté[2].
40 Pardonne, cher Hector, à ma crédulité.
Je n'ai pu soupçonner ton ennemi d'un crime ;
Malgré lui-même enfin je l'ai cru magnanime.
Ah ! s'il l'était assez pour nous laisser du moins
Au tombeau qu'à ta cendre ont élevé mes soins*,
45 Et que finissant là sa haine et nos misères,
Il ne séparât point des dépouilles si chères[3] !

---

1. L'héroïne de l'*Andromaque* d'Euripide formule une réplique comparable (v. 399-402) ; mais l'anaphore « J'ai vu » et le vers 930 sont traduits littéralement de la troisième des *Héroïdes* d'Ovide (« Briséis à Achille », v. 45-50).
2. Ce reproche est celui que Priam adresse lui-même à Pyrrhus dans l'*Énéide* (II, v. 540-543). Voir Dossier, 2.
3. Andromaque formulait ce souhait dès la fin de l'acte I (v. 378-379).

PYRRHUS

Va m'attendre, Phœnix.

Scène 7

PYRRHUS, ANDROMAQUE, CÉPHISE

PYRRHUS *continue.*

Madame, demeurez.
On peut vous rendre encor ce fils que vous pleurez.
Oui, je sens à regret qu'en excitant vos larmes
950 Je ne fais contre moi que vous donner des armes.
Je croyais apporter plus de haine en ces lieux.
Mais, Madame, du moins tournez vers moi les yeux :
Voyez si mes regards sont d'un juge sévère,
S'ils sont d'un ennemi qui cherche à vous déplaire.
955 Pourquoi me forcez-vous vous-même à vous trahir ?
Au nom de votre fils, cessons de nous haïr.
À le sauver enfin c'est moi qui vous convie.
Faut-il que mes soupirs vous demandent sa vie ?
Faut-il qu'en sa faveur j'embrasse vos genoux ?
960 Pour la dernière fois, sauvez-le, sauvez-nous.
Je sais de quels serments je romps pour vous les chaînes,
Combien je vais sur moi faire éclater de haines.
Je renvoie Hermione, et je mets sur son front,
Au lieu de ma couronne, un éternel affront.
965 Je vous conduis au temple où son hymen s'apprête ;
Je vous ceins du bandeau [1] préparé pour sa tête.
Mais ce n'est plus, Madame, une offre à dédaigner :
Je vous le dis, il faut ou périr ou régner [2]
Mon cœur, désespéré d'un an d'ingratitude*,

---

1. Diadème, couronne.
2. Dilemme formulé de façon semblable dans *Cosroès* de Rotrou
(1649) : « Il faut absolument ou périr ou régner » (I, 3, v. 248) ; et dans
Pertharite de Corneille (1653) : « Son sort est en vos mains : aimer ou
dédaigner/ Le va faire périr, ou le faire régner » (III, 1, v. 761-762).

970 Ne peut plus de son sort souffrir l'incertitude.
C'est craindre, menacer et gémir trop longtemps.
Je meurs si je vous perds, mais je meurs si j'attends. ⟵
Songez-y : je vous laisse ; et je viendrai vous prendre
Pour vous mener au temple, où ce fils doit m'attendre ;
975 Et là vous me verrez, soumis ou furieux*,
Vous couronner, Madame, ou le perdre* à vos yeux.

Scène 8

ANDROMAQUE, CÉPHISE

CÉPHISE

Je vous l'avais prédit, qu'en dépit de la Grèce,
De votre sort encor vous seriez la maîtresse.

ANDROMAQUE

Hélas ! de quel effet tes discours sont suivis !
980 Il ne me restait plus qu'à condamner mon fils.

CÉPHISE

Madame, à votre époux c'est être assez fidèle* :
Trop de vertu pourrait vous rendre criminelle.
Lui-même il porterait votre âme à la douceur.

ANDROMAQUE

Quoi ? je lui donnerais Pyrrhus pour successeur ?

CÉPHISE

985 Ainsi le veut son fils, que les Grecs vous ravissent.
Pensez-vous qu'après tout ses mânes [1] en rougissent ;
Qu'il méprisât, Madame, un roi victorieux
Qui vous fait remonter au rang de vos aïeux,

---

1. Âmes des morts.

Qui foule aux pieds pour vous vos vainqueurs en colère,
990 Qui ne se souvient plus qu'Achille était son père,
Qui dément [1] ses exploits et les rend superflus ?

ANDROMAQUE

Dois-je les oublier, s'il ne s'en souvient plus ?
Dois-je oublier Hector privé de funérailles,
Et traîné sans honneur autour de nos murailles [2] ?
995 Dois-je oublier son père à mes pieds renversé,
Ensanglantant l'autel qu'il tenait embrassé ?
Songe, songe, Céphise, à cette nuit cruelle
Qui fut pour tout un peuple une nuit éternelle.
Figure-toi Pyrrhus, les yeux étincelants,
1000 Entrant à la lueur de nos palais brûlants,
Sur tous mes frères morts se faisant un passage,
Et de sang tout couvert échauffant le carnage.
Songe aux cris des vainqueurs, songe aux cris des mourants,
Dans la flamme étouffés, sous le fer expirants.
1005 Peins-toi dans ces horreurs Andromaque éperdue :
Voilà comme Pyrrhus vint s'offrir à ma vue [3] ;
Voilà par quels exploits il sut se couronner ;
Enfin voilà l'époux que tu me veux donner.
Non, je ne serai point complice de ses crimes ;
1010 Qu'il nous prenne, s'il veut, pour dernières victimes.
Tous mes ressentiments lui seraient asservis [4].

---

1. Désavoue, renie.
2. Racine s'écarte de l'*Iliade* d'Homère, où Hector était traîné vers les bateaux grecs puis autour de la tombe de Patrocle, pour suivre Euripide (*Andromaque*, v. 107) et Virgile (*Énéide*, I, v. 483), qui évoquent son cadavre traîné autour des remparts de Troie.
3. Ce passage condense le récit que donne Virgile du sac de Troie (*Énéide*, II, v. 469-558). Voir Dossier, 1.
4. Si Pyrrhus, après avoir massacré le peuple d'Andromaque, décidait en plus de la sacrifier avec son fils, tous les sentiments de douleur et de haine d'Andromaque (« tous mes ressentiments ») auraient une seule et même cause (« lui seraient asservis ») et se concentreraient sur Pyrrhus.

CÉPHISE

Hé bien ! allons donc voir expirer votre fils :   ←
On n'attend plus que vous. Vous frémissez, Madame ?

ANDROMAQUE

Ah ! de quel souvenir viens-tu frapper mon âme !
1015 Quoi ? Céphise, j'irai voir expirer encor
Ce fils, ma seule joie, et l'image d'Hector ?
Ce fils, que de sa flamme* il me laissa pour gage ?
Hélas ! je m'en souviens, le jour que son courage
Lui fit chercher Achille, ou plutôt le trépas,
1020 Il demanda son fils, et le prit dans ses bras :
« Chère épouse, dit-il en essuyant mes larmes,
J'ignore quel succès* le sort garde [1] à mes armes ;
Je te laisse mon fils pour gage de ma foi* :
S'il me perd, je prétends qu'il me retrouve en toi.
1025 Si d'un heureux hymen la mémoire t'est chère,
Montre au fils à quel point tu chérissais le père [2]. »
Et je puis voir répandre un sang si précieux ?
Et je laisse avec lui périr tous ses aïeux ?
Roi barbare, faut-il que mon crime l'entraîne [3] ?
1030 Si je te hais, est-il coupable de ma haine ?
T'a-t-il de tous les siens reproché le trépas ?
S'est-il plaint à tes yeux des maux qu'il ne sent pas [4] ?
Mais cependant, mon fils, tu meurs, si je n'arrête
Le fer que le cruel tient levé sur ta tête.
1035 Je l'en puis détourner, et je t'y vais offrir ?
Non, tu ne mourras point : je ne le puis souffrir.
Allons trouver Pyrrhus. Mais non, chère Céphise,
Va le trouver pour moi.

---

1. Réserve.
2. Racine condense la scène des adieux d'Hector et d'Andromaque de
l'*Iliade* (VI, v. 392-596), qu'il qualifie d'« entretien divin » dans ses
annotations en marge d'Homère (*Œuvres complètes*, t. II, Gallimard,
« Bibliothèque de la Pléiade », 1966, p. 718).
3. Faut-il que mon refus de t'épouser (que Pyrrhus considère comme
un « crime ») entraîne la mort d'Astyanax ?
4. Dont il n'a pas conscience.

CÉPHISE

Que faut-il que je dise ?

ANDROMAQUE

Dis-lui que de mon fils l'amour est assez fort...
1040 Crois-tu que dans son cœur il ait juré sa mort ?
L'amour peut-il si loin pousser sa barbarie ?

CÉPHISE

Madame, il va bientôt revenir en furie*.

ANDROMAQUE

Hé bien ! va l'assurer...

CÉPHISE

De quoi ? de votre foi* ?

ANDROMAQUE

Hélas ! pour la promettre est-elle encore à moi ?
1045 Ô cendres d'un époux ! ô Troyens ! ô mon père !
Ô mon fils, que tes jours coûtent cher à ta mère !
Allons.

CÉPHISE

Où donc, Madame ? et que résolvez-vous ?

ANDROMAQUE

Allons sur son tombeau consulter mon époux.

ACTE IV

Scène première

ANDROMAQUE, CÉPHISE

CÉPHISE

Ah ! je n'en doute point : c'est votre époux, Madame,
1050 C'est Hector qui produit ce miracle en votre âme[1].
Il veut que Troie encor se puisse relever
Avec cet heureux fils qu'il vous fait conserver.
Pyrrhus vous l'a promis. Vous venez de l'entendre,
Madame : il n'attendait qu'un mot pour vous le rendre.
1055 Croyez-en ses transports* : père, sceptre, alliés,
Content de votre cœur, il met tout à vos pieds.
Sur lui, sur tout son peuple il vous rend souveraine.
Est-ce là ce vainqueur digne de tant de haine ?
Déjà contre les Grecs plein d'un noble courroux,
1060 Le soin* de votre fils le touche autant que vous :
Il prévient* leur fureur, il lui laisse sa garde ;

---

1. L'acte IV s'ouvre ainsi avec les mêmes personnages qui étaient sur scène à la fin de l'acte III. Au regard de la dramaturgie classique, c'est une faute contre la vraisemblance : « Le même acteur qui ferme un acte ne doit pas ouvrir celui qui suit [...], parce que l'acteur qui sort de la scène pour quelque action importante à laquelle il faut qu'il s'emploie ailleurs, doit avoir quelque temps raisonnable pour la faire ; et s'il revient aussitôt que la musique assez courte et assez mauvaise jouée durant chaque entracte a cessé, l'esprit des spectateurs est trop surpris en le voyant revenir si tôt » (d'Aubignac, *La Pratique du théâtre*, III, 5). Voir Présentation.

Pour ne pas l'exposer, lui-même il se hasarde [1].
Mais tout s'apprête au temple, et vous avez promis.

ANDROMAQUE

Oui, je m'y trouverai. Mais allons voir mon fils.

CÉPHISE

1065 Madame, qui vous presse ? Il suffit que sa vue
Désormais à vos yeux ne soit plus défendue.
Vous lui pourrez bientôt prodiguer vos bontés,
Et vos embrassements ne seront plus comptés.
Quel plaisir d'élever un enfant qu'on voit craître [2],
1070 Non plus comme un esclave élevé pour son maître,
Mais pour voir avec lui renaître tant de rois !

ANDROMAQUE

Céphise, allons le voir pour la dernière fois.

CÉPHISE

Que dites-vous ? ô Dieux !

ANDROMAQUE

     Ô ma chère Céphise,
Ce n'est point avec toi que mon cœur se déguise.
1075 Ta foi*, dans mon malheur, s'est montrée à mes yeux ;
Mais j'ai cru qu'à mon tour tu me connaissais mieux.
Quoi donc ? as-tu pensé qu'Andromaque infidèle*
Pût trahir un époux qui croit revivre en elle ;
Et que de tant de morts réveillant la douleur,

---

1. Il s'expose, il prend des risques. L'abandon, par Pyrrhus, de sa garde personnelle rend vraisemblable le fait que les Grecs pourront aussi aisément le tuer au temple à l'acte V ; Racine cherche aussi à peindre les effets de la passion, qui rend le personnage aveugle au danger. Subligny a toutefois jugé la légèreté de Pyrrhus peu vraisemblable en elle-même (voir Dossier, 2).
2. Croître.

1080 Le soin* de mon repos me fît troubler le leur ?
Est-ce là cette ardeur tant promise à sa cendre ?
Mais son fils périssait : il l'a fallu défendre.
Pyrrhus en m'épousant s'en déclare l'appui ;
Il suffit : je veux bien m'en reposer sur lui.
1085 Je sais quel est Pyrrhus. Violent, mais sincère,
Céphise, il fera plus qu'il n'a promis de faire [1].
Sur le courroux des Grecs je m'en repose encor :
Leur haine va donner un père au fils d'Hector.
Je vais donc, puisqu'il faut que je me sacrifie,
1090 Assurer à Pyrrhus le reste de ma vie ;
Je vais, en recevant sa foi* sur les autels,
L'engager à mon fils par des nœuds immortels.
Mais aussitôt ma main, à moi seule funeste*,
D'une infidèle* vie abrégera le reste,
1095 Et sauvant ma vertu, rendra ce que je doi [2]
À Pyrrhus, à mon fils, à mon époux, à moi.
Voilà de mon amour l'innocent [3] stratagème ;
Voilà ce qu'un époux m'a commandé lui-même.
J'irai seule rejoindre Hector et mes aïeux.
1100 Céphise, c'est à toi de me fermer les yeux.

CÉPHISE

Ah ! ne prétendez pas que je puisse survivre…

ANDROMAQUE

Non, non, je te défends, Céphise, de me suivre.
Je confie à tes soins* mon unique trésor :

---

1. Le « stratagème » d'Andromaque, et l'entière confiance qu'elle
accorde soudain à Pyrrhus (« violent, mais sincère »), ont paru très peu
vraisemblables à Subligny, qui y voit la « faute de jugement » d'une
« étourdie » (voir Dossier, 2).
2. Licence poétique pour « dois ».
3. Intègre, désintéressé. Cet adjectif neutralise le caractère péjoratif du
substantif « stratagème », qui « se dit de toutes sortes de ruses et
d'adresses dont on se sert pour réussir en quelque affaire » (Furetière).

Si tu vivais pour moi, vis pour le fils d'Hector.
1105 De l'espoir des Troyens seule dépositaire,
Songe à combien de rois tu deviens nécessaire.
Veille auprès de Pyrrhus ; fais-lui garder sa foi* ;
S'il le faut, je consens qu'on lui parle de moi.
Fais-lui valoir l'hymen où je me suis rangée[1] ;
1110 Dis-lui qu'avant ma mort je lui fus engagée,
Que ses ressentiments doivent être effacés,
Qu'en lui laissant mon fils, c'est l'estimer assez.
Fais connaître à mon fils les héros de sa race[2] ;
Autant que tu pourras, conduis-le sur leur trace.
1115 Dis-lui par quels exploits leurs noms ont éclaté[3],
Plutôt ce qu'ils ont fait que ce qu'ils ont été ;
Parle-lui tous les jours des vertus de son père,
Et quelquefois aussi parle-lui de sa mère.
Mais qu'il ne songe plus, Céphise, à nous venger :
1120 Nous lui laissons un maître, il le doit ménager.
Qu'il ait de ses aïeux un souvenir modeste :
Il est du sang* d'Hector, mais il en est le reste ;
Et pour ce reste enfin j'ai moi-même en un jour
Sacrifié mon sang, ma haine et mon amour[4].

CÉPHISE

1125 Hélas !

ANDROMAQUE

Ne me suis point, si ton cœur en alarmes*
Prévoit qu'il ne pourra commander à tes larmes.
On vient. Cache tes pleurs, Céphise, et souviens-toi

---

1. Auquel je me suis résignée.
2. Famille.
3. Se sont illustrés, sont devenus célèbres. « Éclater, signifie aussi, briller, avoir beaucoup de lustre, de splendeur ou d'éclat, tant au propre qu'au figuré » (Furetière).
4. Dans ces six derniers vers, Racine récrit une réplique d'Andromaque à Astyanax dans *Les Troyennes* de Sénèque (v. 712-717).

Que le sort d'Andromaque est commis [1] à ta foi*.
C'est Hermione. Allons, fuyons sa violence [2].

Scène 2

HERMIONE, CLÉONE

CLÉONE

1130 Non, je ne puis assez admirer* ce silence.
Vous vous taisez, Madame, et ce cruel* mépris*
N'a pas du moindre trouble agité vos esprits ?
Vous soutenez en paix une si rude attaque,
Vous qu'on voyait frémir au seul nom d'Andromaque ?
1135 Vous qui sans désespoir ne pouviez endurer
Que Pyrrhus d'un regard la voulût honorer ?
Il l'épouse : il lui donne, avec son diadème,
La foi* que vous venez de recevoir vous-même,
Et votre bouche encor, muette à tant d'ennui*,
1140 N'a pas daigné s'ouvrir pour se plaindre de lui ?
Ah ! que je crains, Madame, un calme si funeste* !
Et qu'il vaudrait bien mieux...

HERMIONE

Fais-tu venir Oreste ?

---

1. Confié.
2. Apercevant Hermione, Andromaque et Céphise quittent la scène. La dramaturgie classique interdit que la scène reste ainsi vide à l'intérieur d'un acte, mais tolère le procédé ici adopté par Racine sous le nom de « liaison de fuite » ou « liaison de vue ». Toutefois, comme Hermione et Cléone n'entrent pas pour trouver les personnages déjà en scène mais pour recevoir Oreste, cette scène 2 ressemble fort au début d'un nouvel acte (comparable à la scène 1 de l'acte II). La scène 1 en acquiert une relative autonomie par rapport au reste de l'acte IV ; d'autant plus qu'elle fait revenir les mêmes personnages que la dernière scène de l'acte III (voir v. 1050, et p. 75, note 1). Deux tragédies se disputent ici la scène, celle d'Andromaque, qui culmine à l'acte III et dont le dilemme est provisoirement réglé à la scène 1 ; et la tragédie d'Hermione, qui passe désormais au premier plan à partir de la scène 2.

CLÉONE

Il vient, Madame, il vient ; et vous pouvez juger
Que bientôt à vos pieds il allait se ranger [1].
1145 Prêt à servir toujours sans espoir de salaire,
Vos yeux ne sont que trop assurés de lui plaire.
Mais il entre.

Scène 3

ORESTE, HERMIONE, CLÉONE

ORESTE

Ah ! Madame, est-il vrai qu'une fois [2]
Oreste en vous cherchant obéisse à vos lois ?
Ne m'a-t-on point flatté* d'une fausse espérance ?
1150 Avez-vous en effet [3] souhaité ma présence ?
Croirai-je que vos yeux, à la fin désarmés,
Veulent...

HERMIONE

Je veux savoir, Seigneur, si vous m'aimez.

ORESTE

Si je vous aime ? Ô Dieux ! mes serments, mes parjures,
Ma fuite, mon retour, mes respects, mes injures*,
1155 Mon désespoir, mes yeux de pleurs toujours noyés,
Quels témoins* croirez-vous, si vous ne les croyez ?

HERMIONE

Vengez-moi, je crois tout.

---

1. « Se soumettre » (Furetière).
2. Que pour une fois.
3. En réalité, vraiment.

ORESTE

Hé bien ! allons, Madame :
Mettons encore un coup toute la Grèce en flamme[1] ;
Prenons, en signalant[2] mon bras et votre nom,
1160 Vous, la place d'Hélène, et moi, d'Agamemnon.
De Troie en ce pays réveillons les misères,
Et qu'on parle de nous ainsi que de nos pères.
Partons, je suis tout prêt.

HERMIONE

Non, Seigneur, demeurons :
Je ne veux pas si loin porter de tels affronts.
1165 Quoi ! de mes ennemis couronnant l'insolence,
J'irais attendre ailleurs une lente vengeance,
Et je m'en remettrais au destin des combats,
Qui peut-être à la fin ne me vengerait pas ?
Je veux qu'à mon départ toute l'Épire pleure.
1170 Mais si vous me vengez, vengez-moi dans une heure.
Tous vos retardements sont pour moi des refus.
Courez au temple. Il faut immoler…

ORESTE

Qui ?

HERMIONE

Pyrrhus.

ORESTE

Pyrrhus, Madame ?

HERMIONE

Hé quoi ! votre haine chancelle ?
Ah ! courez, et craignez que je ne vous rappelle.

---

1. Enflammons la colère des Grecs à nouveau (non plus cette fois contre les Troyens, mais contre Pyrrhus).
2. Signaler : « rendre une chose remarquable et célèbre » (Furetière).

1175 N'alléguez point des droits que je veux oublier ;
Et ce n'est pas à vous à le justifier.

ORESTE

Moi, je l'excuserais ? Ah ! vos bontés, Madame,
Ont gravé trop avant ses crimes dans mon âme.
Vengeons-nous, j'y consens, mais par d'autres chemins.
1180 Soyons ses ennemis, et non ses assassins :
Faisons de sa ruine une juste conquête[1].
Quoi ! pour réponse, aux Grecs porterai-je sa tête ?
Et n'ai-je pris sur moi le soin* de tout l'État
Que pour m'en acquitter par un assassinat ?
1185 Souffrez, au nom des Dieux, que la Grèce s'explique,
Et qu'il meure chargé de la haine publique.
Souvenez-vous qu'il règne, et qu'un front couronné...

HERMIONE

Ne vous suffit-il pas que je l'ai[2] condamné ?
Ne vous suffit-il pas que ma gloire* offensée
1190 Demande une victime à moi seule adressée ;
Qu'Hermione est le prix d'un tyran opprimé[3] ;
Que je le hais ; enfin, Seigneur, que je l'aimai ?
Je ne m'en cache point : l'ingrat* m'avait su plaire,
Soit qu'ainsi l'ordonnât mon amour ou mon père,
1195 N'importe ; mais enfin réglez-vous là-dessus.
Malgré mes vœux*, Seigneur, honteusement déçus,
Malgré la juste horreur que son crime me donne,
Tant qu'il vivra, craignez que je ne lui pardonne.
Doutez jusqu'à sa mort d'un courroux incertain :
1200 S'il ne meurt aujourd'hui, je puis l'aimer demain.

---

1. Obtenons sa mort par une guerre légitime.
2. La grammaire du XVIIᵉ siècle autorise cet emploi de l'indicatif par lequel « Hermione réaffirme devant Oreste la condamnation de Pyrrhus » (N. Fournier, *Grammaire du français classique*, Belin, 2002, p. 349).
3. Du meurtre d'un tyran. Le régicide, s'agissant d'un roi légitime, est, au XVIIᵉ siècle, un crime abominable ; aussi Hermione présente-t-elle ce meurtre comme celui d'un « tyran » afin de le rendre acceptable.

ORESTE

Hé bien ! il faut le perdre*, et prévenir* sa grâce [1] ;
Il faut… Mais cependant que faut-il que je fasse ?
Comment puis-je sitôt servir votre courroux ?
Quel chemin jusqu'à lui peut conduire mes coups ?
1205 À peine suis-je encore arrivé dans l'Épire,
Vous voulez par mes mains renverser un empire ;
Vous voulez qu'un roi meure, et pour son châtiment
Vous ne donnez qu'un jour, qu'une heure, qu'un moment.
Aux yeux de tout son peuple il faut que je l'opprime !
1210 Laissez-moi vers l'autel conduire ma victime,
Je ne m'en défends plus ; et je ne veux qu'aller
Reconnaître la place où je dois l'immoler.
Cette nuit je vous sers, cette nuit je l'attaque.

HERMIONE

Mais cependant ce jour il épouse Andromaque.
1215 Dans le temple déjà le trône est élevé ;
Ma honte est confirmée, et son crime achevé.
Enfin qu'attendez-vous ? Il vous offre sa tête :
Sans gardes, sans défense, il marche à cette fête ;
Autour du fils d'Hector il les fait tous ranger ;
1220 Il s'abandonne au bras qui me voudra venger.
Voulez-vous malgré lui prendre soin de sa vie ?
Armez, avec vos Grecs, tous ceux qui m'ont suivie ;
Soulevez vos amis : tous les miens sont à vous.
Il me trahit, vous trompe, et nous méprise tous.
1225 Mais quoi ? déjà leur haine est égale à la mienne :
Elle épargne à regret l'époux d'une Troyenne.
Parlez : mon ennemi ne vous peut échapper,
Ou plutôt il ne faut que les laisser frapper.
Conduisez ou suivez une fureur si belle ;
1230 Revenez tout couvert du sang de l'infidèle* ;
Allez : en cet état soyez sûr de mon cœur.

---

1. Agir avant qu'il ne retrouve grâce à vos yeux.

ORESTE

Mais, Madame, songez…

HERMIONE

Ah ! c'en est trop, Seigneur.
Tant de raisonnements offensent ma colère.
J'ai voulu vous donner les moyens de me plaire,
1235 Rendre Oreste content ; mais enfin je vois bien
Qu'il veut toujours se plaindre, et ne mériter rien.
Partez : allez ailleurs vanter votre constance,
Et me laissez[1] ici le soin* de ma vengeance.
De mes lâches bontés mon courage* est confus[2],
1240 Et c'est trop en un jour essuyer de refus.
Je m'en vais seule au temple, où leur hymen s'apprête,
Où vous n'osez aller mériter ma conquête.
Là, de mon ennemi je saurai m'approcher :
Je percerai le cœur que je n'ai pu toucher ;
1245 Et mes sanglantes mains, sur moi-même tournées,
Aussitôt, malgré lui, joindront nos destinées ;
Et tout ingrat* qu'il est, il me sera plus doux
De mourir avec lui que de vivre avec vous[3].

ORESTE

Non, je vous priverai de ce plaisir funeste*,
1250 Madame : il ne mourra que de la main d'Oreste.
Vos ennemis par moi vont vous être immolés,
Et vous reconnaîtrez mes soins*, si vous voulez.

HERMIONE

Allez. De votre sort laissez-moi la conduite,
Et que tous vos vaisseaux soient prêts pour notre fuite.

---

1. Laissez-moi.
2. Mon cœur a honte de ses bontés à votre égard, qui ne sont que
des lâchetés.
3. Les personnages de *La Folle Querelle* de Subligny (II, 9) accusent
Racine d'avoir plagié ici une réplique d'Émilie dans *Cinna* (III, 4,
v. 1039-1042). Voir Dossier, 2.

Scène 4

HERMIONE, CLÉONE

CLÉONE

1255 Vous vous perdez*, Madame ; et vous devez songer…

HERMIONE

Que je me perde* ou non, je songe à me venger.
Je ne sais même encor, quoi qu'il m'ait pu promettre,
Sur d'autres que sur moi si je dois m'en remettre.
Pyrrhus n'est pas coupable à ses yeux comme aux miens,
1260 Et je tiendrais mes coups bien plus sûrs que les siens.
Quel plaisir de venger moi-même mon injure*,
De retirer mon bras teint du sang du parjure,
Et pour rendre sa peine et mes plaisirs plus grands,
De cacher ma rivale à ses regards mourants !
1265 Ah ! si du moins Oreste, en punissant son crime,
Lui laissait le regret de mourir ma victime [1] !
Va le trouver : dis-lui qu'il apprenne à l'ingrat*
Qu'on l'immole à ma haine, et non pas à l'État.
Chère Cléone, cours. Ma vengeance est perdue
1270 S'il ignore en mourant que c'est moi qui le tue [2].

CLÉONE

Je vous obéirai. Mais qu'est-ce que je voi [3] ?
Ô Dieux ! Qui l'aurait cru, Madame ? c'est le Roi !

HERMIONE

Ah ! cours après Oreste ; et dis-lui, ma Cléone,
Qu'il n'entreprenne rien sans revoir Hermione.

---

1. De mourir en sachant qu'il est ma victime.
2. Ces vers d'Hermione sont proches de ceux d'Émilie dans *Cinna*, au sujet du meurtre d'Auguste (I, 2, v. 101-104).
3. Licence poétique pour « vois ».

Scène 5

PYRRHUS, HERMIONE, PHŒNIX

PYRRHUS

1275 Vous ne m'attendiez pas, Madame ; et je vois bien
Que mon abord ici trouble votre entretien[1].
Je ne viens point, armé d'un indigne artifice*,
D'un voile d'équité couvrir mon injustice[2] :
Il suffit que mon cœur me condamne tout bas ;
1280 Et je soutiendrais mal ce que je ne crois pas[3].
J'épouse une Troyenne. Oui, Madame, et j'avoue
Que je vous ai promis la foi* que je lui voue.
Un autre vous dirait que dans les champs troyens
Nos deux pères sans nous formèrent ces liens,
1285 Et que sans consulter ni mon choix ni le vôtre,
Nous fûmes sans amour engagés l'un à l'autre ;
Mais c'est assez pour moi que je me sois soumis.
Par mes ambassadeurs mon cœur vous fut promis ;

---

1. Une rencontre entre Pyrrhus et Hermione est annoncée depuis la scène 5 de l'acte II (v. 711-712) ; elle aurait dû avoir lieu à la scène 6 de l'acte III, où Pyrrhus entrait en croyant trouver Hermione, mais tombait sur Andromaque. Il s'agissait alors pour Pyrrhus de « disposer » lui-même Hermione « à leur hymen » (v. 667). Mais depuis, Pyrrhus épouse Andromaque, et ses raisons de venir trouver Hermione ne sont plus claires. On devine celles de Racine : c'est une « scène à faire », riche en violence pathétique ; le dramaturge y transpose la séparation de Didon et d'Énée (Virgile, *Énéide*, IV, v. 305-392). Reste que le passage a suscité un conflit d'interprétations, les critiques tentant de combler le défaut de motivation de cette scène : Pyrrhus est-il sincère ou ironique, vient-il parler à Hermione par respect ou par cruauté ? Les termes du débat critique rejoignent ainsi le problème du « caractère » de Pyrrhus tel qu'il est exposé dans la Première préface (voir p. 14-15), mais aussi tel que les personnages le posent eux-mêmes, en particulier Hermione (voir Dossier, 2 et 3, et Présentation).
2. Vers semblables dans *Pertharite* de Corneille : « Je ne viens point ici, par de noirs artifices,/ De mon cruel destin forcer les injustices » (III, 4, v. 1023-24).
3. Je défendrais mal une cause (présenter mon mariage avec Andromaque comme légitime) en laquelle je ne crois pas.

Loin de les révoquer, je voulus y souscrire.
1290 Je vous vis avec eux arriver en Épire ;
Et quoique d'un autre œil l'éclat victorieux
Eût déjà prévenu* le pouvoir de vos yeux,
Je ne m'arrêtai point à cette ardeur nouvelle :
Je voulus m'obstiner à vous être fidèle*,
1295 Je vous reçus en reine ; et jusques à ce jour
J'ai cru que mes serments me tiendraient lieu d'amour.
Mais cet amour l'emporte, et par un coup* funeste*
Andromaque m'arrache un cœur qu'elle déteste.
L'un par l'autre entraînés, nous courons à l'autel
1300 Nous jurer, malgré nous, un amour immortel.
Après cela, Madame, éclatez[1] contre un traître,
Qui l'est avec douleur, et qui pourtant veut l'être.
Pour moi, loin de contraindre un si juste courroux,
Il me soulagera peut-être autant que vous.
1305 Donnez-moi tous les noms destinés aux parjures :
Je crains votre silence, et non pas vos injures ;
Et mon cœur, soulevant mille secrets témoins*,
M'en dira d'autant plus que vous m'en direz moins.

HERMIONE

Seigneur, dans cet aveu dépouillé d'artifice*,
1310 J'aime à voir que du moins vous vous rendiez justice,
Et que voulant bien rompre un nœud si solennel,
Vous vous abandonniez au crime en criminel.
Est-il juste, après tout, qu'un conquérant s'abaisse
Sous la servile loi de garder sa promesse ?
1315 Non, non, la perfidie* a de quoi vous tenter ;
Et vous ne me cherchez que pour vous en vanter.
Quoi ? sans que ni serment ni devoir vous retienne,
Rechercher une Grecque, amant* d'une Troyenne ?
Me quitter, me reprendre, et retourner encor
1320 De la fille d'Hélène à la veuve d'Hector ?
Couronner tour à tour l'esclave et la princesse ;

---

1. Éclater : « s'emporter » (Furetière).

Immoler Troie aux Grecs, au fils d'Hector la Grèce ?
Tout cela part d'un cœur toujours maître de soi,
D'un héros qui n'est point esclave de sa foi*.
1325 Pour plaire à votre épouse, il vous faudrait peut-être
Prodiguer [1] les doux noms de parjure et de traître.
Vous veniez de mon front observer la pâleur,
Pour aller dans ses bras rire de ma douleur.
Pleurante après son char [2] vous voulez qu'on me voie ;
1330 Mais, Seigneur, en un jour ce serait trop de joie ;
Et sans chercher ailleurs des titres empruntés,
Ne vous suffit-il pas de ceux que vous portez ?
Du vieux père d'Hector la valeur abattue
Aux pieds de sa famille expirante à sa vue,
1335 Tandis que dans son sein votre bras enfoncé
Cherche un reste de sang que l'âge avait glacé [3] ;
Dans des ruisseaux de sang Troie ardente plongée ;
De votre propre main Polyxène [4] égorgée
Aux yeux de tous les Grecs indignés contre vous :
1340 Que peut-on refuser à ces généreux coups ?

PYRRHUS

Madame, je sais trop à quels excès de rage
La vengeance d'Hélène emporta mon courage*.
Je puis me plaindre à vous du sang que j'ai versé [5] ;
Mais enfin je consens d'oublier le passé.
1345 Je rends grâces au ciel que votre indifférence
De mes heureux soupirs m'apprenne l'innocence.
Mon cœur, je le vois bien, trop prompt à se gêner*,

---

1. Donner.
2. Allusion à la pratique du triomphe, cérémonie antique au cours de laquelle le général vainqueur défilait sur un char suivi des vaincus.
3. Racine récrit ici Virgile (*Énéide*, II, v. 550-558) et Sénèque (*Les Troyennes*, v. 48-50 et 310-313 ; *Agamemnon*, v. 656-658).
4. Polyxène, fille de Priam, a été sacrifiée par Pyrrhus sur la tombe d'Achille (Euripide, *Hécube*, v. 521-582 ; Sénèque, *Les Troyennes*, v. 118-164).
5. En massacrant les Troyens, Pyrrhus vengeait l'affront fait à Hélène et aux siens, Ménélas son mari mais aussi Hermione leur fille.

Devait mieux vous connaître et mieux s'examiner.
Mes remords vous faisaient une injure* mortelle ;
1350 Il faut se croire aimé pour se croire infidèle*.
Vous ne prétendiez point m'arrêter dans vos fers* :
J'ai craint de vous trahir, peut-être je vous sers.
Nos cœurs n'étaient point faits dépendants l'un de l'autre ;
Je suivais mon devoir, et vous cédiez au vôtre.
1355 Rien ne vous engageait à m'aimer en effet [1].

HERMIONE

Je ne t'ai point aimé, cruel* ? Qu'ai-je donc fait ?
J'ai dédaigné pour toi les vœux* de tous nos princes,
Je t'ai cherché moi-même au fond de tes provinces ;
J'y suis encor, malgré tes infidélités*,
1360 Et malgré tous mes Grecs honteux de mes bontés.
Je leur ai commandé de cacher mon injure* ;
J'attendais en secret le retour d'un parjure ;
J'ai cru que tôt ou tard, à ton devoir rendu,
Tu me rapporterais un cœur qui m'était dû.
1365 Je t'aimais inconstant, qu'aurais-je fait fidèle [2] ?
Et même en ce moment où ta bouche cruelle*
Vient si tranquillement m'annoncer le trépas,
Ingrat*, je doute encor si je ne t'aime pas.
Mais, Seigneur, s'il le faut, si le ciel en colère
1370 Réserve à d'autres yeux la gloire* de vous plaire,
Achevez votre hymen, j'y consens. Mais du moins
Ne forcez pas mes yeux d'en être les témoins.
Pour la dernière fois je vous parle peut-être :
Différez-le d'un jour ; demain vous serez maître [3].
1375 Vous ne répondez point ? Perfide*, je le voi,
Tu comptes les moments que tu perds avec moi !
Ton cœur, impatient de revoir ta Troyenne,

---

1. En réalité, effectivement.
2. Je t'aimais lorsque tu étais inconstant, qu'aurais-je donc fait si tu
avais été fidèle ?
3. Cette demande d'un délai est semblable à celle de Didon auprès
d'Énée (Virgile, *Énéide*, IV, v. 433-434).

Ne souffre qu'à regret qu'un autre [1] t'entretienne.
Tu lui parles du cœur, tu la cherches des yeux.
1380 Je ne te retiens plus, sauve-toi de ces lieux :
Va lui jurer la foi* que tu m'avais jurée,
Va profaner des Dieux la majesté sacrée.
Ces Dieux, ces justes Dieux n'auront pas oublié
Que les mêmes serments avec moi t'ont lié.
1385 Porte aux pieds des autels ce cœur qui m'abandonne ;
Va, cours. Mais crains encor d'y trouver Hermione.

Scène 6

PYRRHUS, PHŒNIX

PHŒNIX

Seigneur, vous entendez. Gardez de [2] négliger
Une amante* en fureur* qui cherche à se venger.
Elle n'est en ces lieux que trop bien appuyée :
1390 La querelle* des Grecs à la sienne est liée ;
Oreste l'aime encore ; et peut-être à ce prix...

PYRRHUS

Andromaque m'attend. Phœnix, garde son fils.

---

1. Quelqu'un d'autre (« un autre » est neutre).
2. Prenez garde à ne pas.

ACTE V

Scène première

HERMIONE, *seule.*

Où suis-je ? Qu'ai-je fait ? Que dois-je faire encore ?[1]
Quel transport* me saisit ? Quel chagrin me dévore ?
1395 Errante, et sans dessein, je cours dans ce palais.
Ah ! ne puis-je savoir si j'aime, ou si je hais ?
Le cruel* ! de quel œil il m'a congédiée !
Sans pitié, sans douleur, au moins étudiée[2].
L'ai-je vu se troubler et me plaindre un moment ?
1400 En ai-je pu tirer un seul gémissement ?
Muet à mes soupirs, tranquille à mes alarmes*,
Semblait-il seulement qu'il eût part à mes larmes[3] ?
Et je le plains encore ? Et pour comble d'ennui*,
Mon cœur, mon lâche cœur s'intéresse pour lui ?
1405 Je tremble au seul penser du coup qui le menace ?
Et prête à me venger, je lui fais déjà grâce ?
Non, ne révoquons point l'arrêt* de mon courroux :
Qu'il périsse ! Aussi bien il ne vit plus pour nous.
Le perfide* triomphe, et se rit de ma rage :

---

1. Racine reprend l'exclamation de Déjanire venant d'envoyer une tunique empoisonnée à Hercule : « Hélas ! Qu'ai-je fait ? Où la fureur a-t-elle emporté ton amante ? » (Ovide, *Héroïdes*, IX, v. 945).
2. Feinte, simulée. « Se dit en parlant de ce qui se fait avec art et affectation » (Furetière).
3. Réécriture de la plainte de Didon dans l'*Énéide* : « A-t-il gémi de mes pleurs ? A-t-il tourné ses regards vers moi ? A-t-il cédé aux larmes ? A-t-il eu pitié de son amante ? » (IV, v. 369-370).

1410 Il pense voir en pleurs dissiper cet orage [1] ;
     Il croit que toujours faible et d'un cœur incertain,
     Je parerai d'un bras les coups de l'autre main.
     Il juge encor de moi par mes bontés passées.
     Mais plutôt le perfide* a bien d'autres pensées.
1415 Triomphant dans le temple, il ne s'informe pas
     Si l'on souhaite ailleurs sa vie ou son trépas.
     Il me laisse, l'ingrat* ! cet embarras funeste*.
     Non, non encore un coup : laissons agir Oreste.
     Qu'il meure, puisqu'enfin il a dû le prévoir,
1420 Et puisqu'il m'a forcée enfin à le vouloir.
     À le vouloir ? Hé quoi ? c'est donc moi qui l'ordonne ?
     Sa mort sera l'effet de l'amour d'Hermione ?
     Ce prince, dont mon cœur se faisait autrefois
     Avec tant de plaisir redire les exploits,
1425 À qui même en secret je m'étais destinée
     Avant qu'on eût conclu ce fatal hyménée,
     Je n'ai donc traversé tant de mers, tant d'États,
     Que pour venir si loin préparer son trépas ?
     L'assassiner, le perdre* ? Ah ! devant [2] qu'il expire…

Scène 2

HERMIONE, CLÉONE

HERMIONE

1430 Ah ! qu'ai-je fait, Cléone ? et que viens-tu me dire ?
     Que fait Pyrrhus ?

CLÉONE

          Il est au comble de ses vœux*,
     Le plus fier des mortels, et le plus amoureux.

---

1. Il pense que cet orage se dissipera par des pleurs, c'est-à-dire : il
pense que ma colère s'apaisera par des larmes.
2. Avant.

Je l'ai vu vers le temple, où son hymen s'apprête,
Mener en conquérant sa nouvelle conquête ;
1435 Et d'un œil où brillaient sa joie et son espoir
S'enivrer en marchant du plaisir de la voir.
Andromaque, au travers de mille cris de joie,
Porte jusqu'aux autels le souvenir de Troie :
Incapable toujours d'aimer et de haïr,
1440 Sans joie et sans murmure* elle semble obéir.

HERMIONE

Et l'ingrat* ? Jusqu'au bout il a poussé l'outrage ?
Mais as-tu bien, Cléone, observé son visage ?
Goûte-t-il des plaisirs tranquilles et parfaits ?
N'a-t-il point détourné ses yeux vers le palais ?
1445 Dis-moi, ne t'es-tu point présentée à sa vue ?
L'ingrat* a-t-il rougi lorsqu'il t'a reconnue ?
Son trouble avouait-il son infidélité* ?
A-t-il jusqu'à la fin soutenu sa fierté* ?

CLÉONE

Madame, il ne voit rien. Son salut et sa gloire*
1450 Semblent être avec vous sortis de sa mémoire.
Sans songer qui le suit, ennemis ou sujets,
Il poursuit seulement ses amoureux projets.
Autour du fils d'Hector il a rangé sa garde,
Et croit que c'est lui seul que le péril regarde.
1455 Phœnix même en répond [1], qui l'a conduit exprès
Dans un fort éloigné du temple et du palais.
Voilà, dans ses transports*, le seul soin* qui lui reste.

HERMIONE

Le perfide* ! Il mourra. Mais que t'a dit Oreste ?

---

1. En répondre : « être caution, être garant, avoir en sa garde »
(Furetière).

CLÉONE

Oreste avec ses Grecs dans le temple est entré.

HERMIONE

1460 Hé bien ! à me venger n'est-il pas préparé[1] ?

CLÉONE

Je ne sais.

HERMIONE

Tu ne sais ? Quoi donc ? Oreste encore,
Oreste me trahit ?

CLÉONE

Oreste vous adore.
Mais de mille remords son esprit combattu
Croit tantôt son amour et tantôt sa vertu.
1465 Il respecte en Pyrrhus l'honneur du diadème ;
Il respecte en Pyrrhus Achille, et Pyrrhus même ;
Il craint la Grèce, il craint l'univers en courroux,
Mais il se craint, dit-il, soi-même[2] plus que tous.

---

1. Cet échange suppose que le contrordre de la scène 4 de l'acte IV
(v. 1274) a été annulé. Or c'est à une nouvelle entrevue avec Hermione
elle-même qu'était suspendu le passage à l'acte d'Oreste, et rien
n'indique qu'elle ait eu lieu (au contraire, l'entrevue d'Oreste et d'Hermione à laquelle celle-ci fait allusion n'aurait guère de raison d'être si
Oreste venait de quitter Hermione). Subligny relève cette incohérence :
« Oreste ne laissa pas de tuer Pyrrhus, quoique Cléone lui eût été dire
qu'il n'en fît rien sans revoir Hermione » (*La Folle Querelle*, II, 8).
Racine condense ainsi en une seule entrevue entre Oreste et Cléone ce
qui aurait dû nécessiter 1. un échange entre ces deux personnages pour
transmettre le contrordre ; 2. une entrevue entre Oreste et Hermione
pour annuler ce contrordre ; 3. le second échange entre Oreste et Cléone
auquel il est fait ici allusion. Malgré la complexité de ces déplacements
et le problème de vraisemblance que pose leur condensation, Racine a
maintenu le contrordre du vers 1274. Voir Présentation.
2. Lui-même.

Il voudrait en vainqueur vous apporter sa tête :
1470 Le seul nom d'assassin l'épouvante et l'arrête.
Enfin il est entré, sans savoir dans son cœur
S'il en devait sortir coupable ou spectateur [1].

HERMIONE

Non, non, il les verra triompher sans obstacle :
Il se gardera bien de troubler ce spectacle.
1475 Je sais de quels remords son courage* est atteint :
Le lâche craint la mort, et c'est tout ce qu'il craint.
Quoi ? sans qu'elle employât une seule prière,
Ma mère en sa faveur arma la Grèce entière ?
Ses yeux pour leur querelle*, en dix ans de combats,
1480 Virent périr vingt rois qu'ils ne connaissaient pas ?
Et moi, je ne prétends [2] que la mort d'un parjure,
Et je charge un amant* du soin de mon injure* ;
Il peut me conquérir à ce prix sans danger ;
Je me livre moi-même, et ne puis me venger ?
1485 Allons : c'est à moi seule à me rendre justice.
Que de cris de douleur le temple retentisse ;
De leur hymen fatal troublons l'événement [3],
Et qu'ils ne soient unis, s'il se peut, qu'un moment.
Je ne choisirai point dans ce désordre extrême :
1490 Tout me sera Pyrrhus, fût-ce Oreste lui-même.
Je mourrai ; mais au moins ma mort me vengera.
Je ne mourrai pas seule, et quelqu'un me suivra.

---

1. Les scrupules d'Oreste à tuer un roi légitime, ici comme à la scène 3 de l'acte IV, lui permettent de rester un héros tragique : Racine, dans la Première préface, rappelait qu'Aristote ne veut pas que les personnages tragiques « soient méchants avec excès, parce qu'on n'a point pitié d'un scélérat » (voir p. 15).
2. Demande.
3. L'issue.

Scène 3

ORESTE, HERMIONE, CLÉONE

ORESTE

Madame, c'en est fait, et vous êtes servie :
Pyrrhus rend à l'autel son infidèle* vie [1].

HERMIONE

1495 Il est mort ?

ORESTE

Il expire ; et nos Grecs irrités
Ont lavé dans son sang ses infidélités*.
Je vous l'avais promis ; et quoique mon courage*
Se fît de ce complot une funeste* image,
J'ai couru vers le temple, où nos Grecs dispersés
1500 Se sont jusqu'à l'autel dans la foule glissés.
Pyrrhus m'a reconnu. Mais sans changer de face,
Il semblait que ma vue excitât son audace,
Que tous les Grecs, bravés en leur ambassadeur,
Dussent de son hymen relever [2] la splendeur.
1505 Enfin avec transport* prenant son diadème,
Sur le front d'Andromaque il l'a posé lui-même.
Je vous donne, a-t-il dit, *ma couronne et ma foi* :
Andromaque, régnez sur l'Épire et sur moi.
Je voue à votre fils une amitié de père ;
1510 *J'en atteste les Dieux, je le jure à sa mère.*
Pour tous mes ennemis je déclare les siens,
Et je le reconnais pour le roi des Troyens.
À ces mots, qui du peuple attiraient le suffrage,

_____

1. Dans la première édition de la pièce, Oreste revenait avec Andromaque, qui prononçait une importante tirade. Racine a supprimé ce retour d'Andromaque dès la deuxième édition de la pièce, en 1673. Voir Appendice, p. 105.
2. « Faire valoir » (Furetière).

Nos Grecs n'ont répondu que par un cri de rage ;
1515 L'infidèle* s'est vu partout envelopper,
Et je n'ai pu trouver de place pour frapper.
Chacun se disputait la gloire* de l'abattre [1].
Je l'ai vu dans leurs mains quelque temps se débattre,
Tout sanglant à leurs coups vouloir se dérober ;
1520 Mais enfin à l'autel il est allé tomber [2].
Du peuple épouvanté j'ai traversé la presse [3]
Pour venir de ces lieux enlever ma Princesse,
Et regagner le port, où bientôt nos amis
Viendront couverts du sang que je vous ai promis.

HERMIONE

1525 Qu'ont-ils fait !

ORESTE

Pardonnez à leur impatience :
Ils ont, je le vois bien, trahi votre vengeance.
Vous vouliez que ma main portât les premiers coups,
Qu'il sentît en mourant qu'il expirait pour vous ;
Mais c'est moi dont l'ardeur leur a servi d'exemple :
1530 Je les ai pour vous seule entraînés dans le temple,
Madame ; et vous pouvez justement vous flatter*

---

1. Racine, en évitant que Pyrrhus meure de la main même d'Oreste,
veille à nouveau à ce que celui-ci demeure un héros tragique digne de
pitié, et non un lâche assassin qui ferait horreur. Mais, ce faisant, la
mort de Pyrrhus devient indépendante de la vengeance d'Hermione :
ses assassins agissent pour des motifs purement politiques. L'intrigue
secondaire (Hermione dédaignée par Pyrrhus et aimée d'Oreste) reste
ainsi sans effet sur l'action principale (l'assassinat de Pyrrhus épousant
Andromaque). Voir Présentation.
2. Racine condense le long récit que fait un messager dans l'*Andromaque* d'Euripide (v. 1085-1165), dans lequel Pyrrhus est victime d'un
meurtre collectif, qu'Oreste a ourdi en suscitant par des mensonges
l'hostilité de la foule. Mais Racine écarte ici tout ce qui, dans Euripide,
faisait d'Oreste le responsable de l'assassinat. Voir Dossier, 1.
3. « Foule de peuple qui veut entrer en un lieu qui ne peut pas le
contenir commodément ; multitude de personnes qui se pressent »
(Furetière).

D'une mort que leurs bras n'ont fait qu'exécuter [1].
Vous seule avez poussé les coups…

HERMIONE

                              Tais-toi, perfide*,
Et n'impute qu'à toi ton lâche parricide [2].
1535 Va faire chez tes Grecs admirer ta fureur*,
Va, je la désavoue, et tu me fais horreur.
Barbare, qu'as-tu fait ? Avec quelle furie*
As-tu tranché le cours d'une si belle vie ?
Avez-vous pu, cruels, l'immoler aujourd'hui,
1540 Sans que tout votre sang se soulevât pour lui [3] ?
Mais parle : de son sort qui t'a rendu l'arbitre ?
Pourquoi l'assassiner ? Qu'a-t-il fait ? À quel titre ?
Qui te l'a dit ?

ORESTE

              Ô Dieux ! Quoi ? ne m'avez-vous pas
Vous-même, ici, tantôt, ordonné son trépas ?

HERMIONE

1545 Ah ! fallait-il en croire une amante* insensée ?
Ne devais-tu pas lire au fond de ma pensée ?
Et ne voyais-tu pas, dans mes emportements,
Que mon cœur démentait ma bouche à tous moments ?
Quand je l'aurais voulu, fallait-il y souscrire ?

---

1. C'est seulement dans cette seconde version de la mort de Pyrrhus que Racine introduit de façon très condensée et atténuée l'idée, récurrente dans le récit du messager dans l'*Andromaque* d'Euripide (v. 1090-1099, 1109-1111 et 1115-1116), qu'Oreste est responsable du meurtre. Oreste, en se donnant maintenant le premier rôle, cherche ainsi à corriger le récit des vers 1495-1524, afin de calmer la fureur d'Hermione, qu'il interprète à tort comme l'expression de sa frustration devant une vengeance imparfaite.
2. « Se dit aussi du meurtre d'une personne sacrée, comme celle des rois et des prélats » (Furetière).
3. Se révoltât en sa faveur (devant l'horreur de ce parricide).

1550 N'as-tu pas dû[1] cent fois te le faire redire ?
     Toi-même avant le coup* me venir consulter,
     Y revenir encore, ou plutôt m'éviter ?
     Que ne me laissais-tu le soin* de ma vengeance ?
     Qui[2] t'amène en des lieux où l'on fuit ta présence ?
1555 Voilà de ton amour le détestable fruit :
     Tu m'apportais, cruel, le malheur qui te suit.
     C'est toi dont l'ambassade, à tous les deux fatale,
     L'a fait pour son malheur pencher vers ma rivale.
     Nous le verrions encor nous partager ses soins* ;
1560 Il m'aimerait peut-être, il le feindrait du moins.
     Adieu. Tu peux partir. Je demeure en Épire :
     Je renonce à la Grèce, à Sparte, à son empire,
     À toute ma famille ; et c'est assez pour moi,
     Traître, qu'elle ait produit un monstre comme toi[3].

Scène 4

ORESTE, *seul.*

1565 Que vois-je ? Est-ce Hermione ? Et que viens-je d'entendre ?
     Pour qui coule le sang que je viens de répandre ?
     Je suis, si je l'en crois, un traître, un assassin.
     Est-ce Pyrrhus qui meurt ? et suis-je Oreste enfin ?

---

1. N'aurais-tu pas dû.
2. Qu'est-ce qui.
3. La réaction d'Hermione est comparable à celle de Chimène dans *Le Cid* (V, 5) : après avoir confié la vengeance de l'assassinat de son père par Rodrigue (dont elle est néanmoins amoureuse) à Don Sanche, elle insulte celui-ci, qu'elle croit avoir tué son amant. Or cette réaction de Chimène avait été critiquée comme faute à la bienséance : ce n'était pas là le « caractère » convenable à une princesse, qui devait faire passer l'honneur et le devoir avant la passion amoureuse. Corneille, dans ses tragédies ultérieures, avait pris soin de respecter la bienséance dans la construction de ses « caractères ». C'est au nom de ce modèle que Subligny a critiqué ce revirement d'Hermione, qui donne trop à la passion et rien à ce que l'on attend d'une princesse dont l'honneur vient d'être vengé (voir Dossier, 2).

Quoi ? j'étouffe en mon cœur la raison qui m'éclaire ;
1570 J'assassine à regret un roi que je révère ;
Je viole en un jour les droits des souverains,
Ceux des ambassadeurs, et tous ceux des humains,
Ceux même des autels où ma fureur* l'assiège :
Je deviens parricide, assassin, sacrilège.
1575 Pour qui ? Pour une ingrate*, à qui je le promets,
Qui même, s'il ne meurt, ne me verra jamais,
Dont j'épouse la rage. Et quand je l'ai servie,
Elle me redemande et son sang et sa vie !
Elle l'aime ! et je suis un monstre furieux* !
1580 Je la vois pour jamais s'éloigner de mes yeux !
Et l'ingrate*, en fuyant, me laisse pour salaire
Tous les noms odieux que j'ai pris pour lui plaire !

Scène 5

ORESTE, PYLADE, SOLDATS D'ORESTE

PYLADE

Il faut partir, Seigneur. Sortons de ce palais,
Ou bien résolvons-nous de n'en sortir jamais.
1585 Nos Grecs pour un moment en défendent la porte.
Tout le peuple assemblé nous poursuit à main forte [1].
Aux ordres d'Andromaque ici tout est soumis ;
Ils la traitent en reine, et nous comme ennemis.
Andromaque, elle-même, à Pyrrhus si rebelle,
1590 Lui rend tous les devoirs d'une veuve fidèle*,
Commande qu'on le venge, et peut-être sur nous
Veut venger Troie encore et son premier époux.
Allons. N'attendons pas que l'on nous environne :
Nos Grecs nous rejoindront ; et tandis qu'Hermione
1595 Tient encore le peuple autour d'elle arrêté,
Voilà notre chemin, sortons en sûreté.

---

1. En armes.

ORESTE

Non, non, c'est Hermione, amis, que je veux suivre.
À son dernier arrêt* je ne puis plus survivre.
Partez : j'ai fait le crime, et je vais l'expier.

PYLADE

1600 Hermione, Seigneur ? Il la faut oublier.
Quoi ! toujours l'instrument et l'objet de sa rage,
Cherchez-vous chez les morts quelque nouvel outrage ?
Et parce qu'elle meurt, faut-il que vous mouriez ?

ORESTE

Elle meurt ? Dieux ! qu'entends-je ?

PYLADE

Hé quoi ? vous l'ignoriez ?
1605 En rentrant dans ces lieux, nous l'avons rencontrée
Qui courait vers le temple, inquiète, égarée.
Elle a trouvé Pyrrhus porté sur des soldats
Que son sang excitait à venger son trépas.
Sans doute à cet objet sa rage s'est émue.
1610 Mais du haut de la porte enfin [1] nous l'avons vue,
Un poignard à la main, sur Pyrrhus se courber,
Lever les yeux au ciel, se frapper, et tomber [2].

---

1. « Mais enfin » signifie ici « quoi qu'il en soit » : Pylade signale ainsi
le caractère hypothétique du vers précédent, qui spécule sur les motivations d'Hermione.
2. La durée de ces actions, qui ont eu lieu hors-scène pendant la
scène 4, est bien plus longue que celle du bref monologue d'Oreste.
Une telle distorsion temporelle est tolérée au dénouement ; « le cinquième acte a quelque droit de presser un peu le temps, en sorte que la
part de l'action qu'il représente en tienne davantage qu'il n'en faut pour
sa représentation. La raison en est que le spectateur est alors dans
l'impatience de voir la fin, et que quand elle dépend d'acteurs qui sont
sortis du théâtre, tout l'entretien qu'on donne à ceux qui y demeurent
en attendant de leurs nouvelles ne fait que languir et semble demeurer
sans action » (Corneille, *Trois Discours sur le poème dramatique*, éd.
citée, p. 146). Racine réduit la perception de cette distorsion, en faisant
se croiser Pylade et Hermione devant le palais, puis en faisant de Pylade

ORESTE

Grâce aux Dieux ! Mon malheur passe mon espérance [1].
Oui, je te loue, ô Ciel, de ta persévérance.
1615 Appliqué sans relâche au soin* de me punir,
Au comble des douleurs tu m'as fait parvenir.
Ta haine a pris plaisir à former ma misère ;
J'étais né pour servir d'exemple à ta colère,
Pour être du malheur un modèle accompli.
1620 Hé bien ! je meurs content, et mon sort est rempli.
Où sont ces deux amants* ? Pour couronner ma joie,
Dans leur sang, dans le mien il faut que je me noie ;
L'un et l'autre en mourant je les veux regarder.
Réunissons trois cœurs qui n'ont pu s'accorder.
1625 Mais quelle épaisse nuit tout à coup m'environne [2] ?
De quel côté sortir ? D'où vient que je frissonne ?
Quelle horreur me saisit ? Grâce au ciel, j'entrevoi…
Dieux ! quels ruisseaux de sang coulent autour de moi !

PYLADE

Ah ! Seigneur !

ORESTE

                    Quoi ! Pyrrhus, je te rencontre encore ?
1630 Trouverai-je partout un rival que j'abhorre ?
Percé de tant de coups, comment t'es-tu sauvé ?
Tiens, tiens, voilà le coup que je t'ai réservé.
Mais que vois-je ? À mes yeux Hermione l'embrasse [3] ?
Elle vient l'arracher au coup qui le menace ?
1635 Dieux ! quels affreux regards elle jette sur moi !

---

le spectateur du suicide depuis un lieu élevé à mi-chemin entre l'entrée
du palais et le lieu qui constitue la scène.
1. Dépasse ce que j'attendais. Racine récrit la plainte de Cassandre
dans l'*Agamemnon* de Sénèque (v. 695-698).
2. Cette scène de folie est démarquée de l'*Oreste* d'Euripide (v. 255-
257). Voir l'interprétation de Michel Foucault, Dossier, 3.
3. Embrasser : « serrer, étreindre avec les deux bras » (*Dictionnaire de
l'Académie*).

Quels démons, quels serpents traîne-t-elle après soi[1] ?
Hé bien ! filles d'enfer[2], vos mains sont-elles prêtes ?
Pour qui sont ces serpents qui sifflent sur vos têtes ?
À qui destinez-vous l'appareil[3] qui vous suit ?
1640 Venez-vous m'enlever dans l'éternelle nuit ?
Venez, à vos fureurs* Oreste s'abandonne.
Mais non, retirez-vous, laissez faire Hermione :
L'ingrate* mieux que vous saura me déchirer ;
Et je lui porte enfin mon cœur à dévorer.

PYLADE

1645 Il perd le sentiment[4]. Amis, le temps nous presse :
Ménageons les moments que ce transport* nous laisse.
Sauvons-le. Nos efforts deviendraient impuissants
S'il reprenait ici sa rage avec ses sens.

---

1. Derrière elle.
2. Les Érinyes, déesses de la vengeance dans la mythologie grecque, traditionnellement représentées avec une chevelure de serpents, harcèlent les meurtriers jusqu'à les rendre fous.
3. Cortège, escorte.
4. Sentiment : « faculté de sentir » (Richelet). « Perdre le sentiment » signifie « perdre conscience, s'évanouir ».

ANDROMAQVE.

Illustration pour *Andromaque* de Racine, par Chauveau.

$$\boxed{\textbf{A}\text{PPENDICE}}$$

ACTE V, SCÈNE 3
(version de 1668)

À partir de la deuxième édition de la pièce, en 1673, Andromaque disparaît de la scène à la scène 1 de l'acte IV ; sa conduite après la mort de Pyrrhus n'est connue que par le bref récit de Pylade aux vers 1589-1592. En revanche, dans la première édition de 1668, Racine faisait revenir sur scène Andromaque avec Oreste à l'acte V, aussitôt après le meurtre de Pyrrhus. C'est cette première version du dénouement que nous donnons ici (les vers en italiques sont repris à l'identique en 1673).

Sur les raisons possibles de la transformation de cette scène en 1673, voir la Présentation.

ORESTE, ANDROMAQUE, HERMIONE, CÉPHISE,
SOLDATS D'ORESTE

ORESTE

Madame, c'en est fait. Partons en diligence.
Venez dans mes vaisseaux goûter votre vengeance.
Voyez cette captive. Elle peut mieux que moi
Vous apprendre qu'Oreste a dégagé sa foi*.

HERMIONE

Ô Dieux ! c'est Andromaque ?

ANDROMAQUE

                          Oui, c'est cette princesse
Deux fois veuve, et deux fois l'esclave de la Grèce ;
Mais qui jusque dans Sparte ira vous braver tous,
Puisqu'elle voit son fils à couvert de vos coups.
Du crime de Pyrrhus complice manifeste,
J'attends son châtiment [1]. Car je vois bien qu'Oreste,
Engagé par votre ordre à cet assassinat,
Vient de ce triste* exploit vous céder tout l'éclat.
Je ne m'attendais pas que le ciel en colère
Pût, sans perdre* mon fils, accroître ma misère,
Et gardât à mes yeux quelque spectacle encor,
Qui fît couler mes pleurs pour un autre qu'Hector.
Vous avez trouvé seule une sanglante voie
De suspendre en mon cœur le souvenir de Troie.
Plus barbare aujourd'hui qu'Achille et que son fils,
Vous me faites pleurer mes plus grands ennemis ;
Et ce que n'avaient pu promesse, ni menace,
Pyrrhus de mon Hector semble avoir pris la place.
Je n'ai que trop, Madame, éprouvé son courroux :
J'aurais plus de sujet de m'en plaindre que vous.
Pour dernière rigueur*, ton amitié* cruelle,
Pyrrhus, à mon époux me rendait infidèle.
Je t'en allais punir. Mais le ciel m'est témoin,
Que je ne poussais pas ma vengeance si loin,
Et sans verser ton sang, ni causer tant d'alarmes*,
Il ne t'en eût coûté peut-être que des larmes [2].

HERMIONE

Quoi ? Pyrrhus est donc mort !

ORESTE

                          Oui, *nos Grecs irrités*

---

1. Le châtiment que mérite le meurtre de Pyrrhus.
2. Allusion au projet de suicide qu'Andromaque a exposé à la scène 1
de l'acte IV.

Ont lavé dans son sang ses infidélités*.
Je vous l'avais promis ; et quoique mon courage*
Se fît de ce complot une funeste* image,
J'ai couru vers le temple, où nos Grecs dispersés
Se sont jusqu'à l'autel dans la foule glissés.
Pyrrhus m'a reconnu. Mais sans changer de face,
Il semblait que ma vue excitât son audace,
Que tous les Grecs, bravés en leur ambassadeur,
Dussent de son hymen relever [1] *la splendeur.*
Enfin, avec transport* prenant son diadème,
Sur le front d'Andromaque il l'a posé lui-même.
« Je vous donne, a-t-il dit, ma couronne et ma foi* :
Andromaque, régnez sur l'Épire et sur moi.
Je voue à votre fils une amitié* de père ;
J'en atteste les Dieux, je le jure à sa mère.
Pour tous mes ennemis je déclare les siens,
Et je le reconnais pour le roi des Troyens. »
À ces mots, qui du peuple attiraient le suffrage,
Nos Grecs n'ont répondu que par un cri de rage ;
L'infidèle* s'est vu partout envelopper,
Et je n'ai pu trouver de place pour frapper.
Chacun se disputait la gloire* de l'abattre.
Je l'ai vu dans leurs mains quelque temps se débattre,
Tout sanglant à leurs coups vouloir se dérober ;
Mais enfin à l'autel il est allé tomber.
Le Troyen est sauvé. Mais partons, le temps presse.
L'Épire tôt ou tard satisfera la Grèce :
Cependant j'ai voulu qu'Andromaque aujourd'hui
Honorât mon triomphe, et répondît de lui [2].
Du peuple épouvanté la foule fugitive
M'a laissé sans obstacle enlever ma captive,
Et regagner ces lieux, où bientôt nos amis
Viendront couverts du sang, que je vous ai promis.

---

1. « Faire valoir » (Furetière).
2. La présence d'Andromaque est ainsi doublement motivée : elle fait de cette entrée un « triomphe » d'Oreste à la manière antique (cérémonie où le vainqueur se présente suivi des vaincus et de son butin) ; et son témoignage garantit la véracité du récit du meurtre.

HERMIONE

Qu'ont-ils fait !

ORESTE

Pardonnez à leur impatience.

[Ici, les répliques d'Oreste et d'Hermione sont identiques à celles des vers 1524-1564 de l'édition définitive. En 1668, au terme de sa dernière réplique, Hermione ajoutait à l'adresse d'Andromaque :]

Allons, Madame, allons. C'est moi qui vous délivre.
Pyrrhus ainsi l'ordonne, et vous pouvez me suivre.
De nos derniers devoirs allons nous dégager.
Montrons qui de nous deux saura mieux le venger.

DOSSIER

Andromaque est un immense palimpseste : Racine, dont on sait l'excellence de l'instruction reçue à Port-Royal en matière de lettres anciennes [1], a nourri sa pièce d'innombrables modèles antiques et modernes. Pour évoquer la guerre de Troie, il s'est appuyé sur l'*Iliade* d'Homère et *La Franciade* de Ronsard, sur les tragédies consacrées à la chute de Troie, antiques (Euripide, *Les Troyennes* ; Sénèque, *Les Troyennes*) et modernes (Garnier, *La Troade*, 1579 ; Montchrestien, *Hector*, 1604 ; Sallebray, *La Troade*, 1640). Pour peindre la passion amoureuse, le dramaturge a puisé dans le chant IV de l'*Énéide* qui met en scène la séparation d'Énée et de Didon, et dans les *Héroïdes* d'Ovide. Pour composer le personnage d'Oreste, il a récrit les tragédies dont celui-ci est le héros (*Les Choéphores* d'Eschyle, les *Électre* de Sophocle et d'Euripide).

Selon son fils, « quand [Racine] entreprenait une tragédie, il disposait chaque acte en prose. Quand il avait ainsi lié toutes les scènes entre elles, il disait : Ma tragédie est faite, comptant le reste pour rien [2] ». Si les réécritures ponctuelles ne sauraient compter « pour rien » [3], la présente section du dossier privilégie les œuvres à partir desquelles Racine a bâti son intrigue et ses principaux personnages.

---

1. Sur la nature de la formation reçue par Racine et son importance pour la composition de ses pièces, voir Georges Forestier, *Jean Racine*, Gallimard, « Biographies », 2006, p. 58-72 et 98-116.
2. Louis Racine, *Mémoires contenant quelques particularités sur la vie et les ouvrages de Jean Racine* (1747), dans Racine, *Œuvres complètes*, t. I, *Théâtre, poésie*, éd. Georges Forestier, Gallimard, « Bibliothèque de la Pléiade », 1999, p. 1148.
3. Les notes de la présente édition signalent la plupart de ces réécritures de détail.

L'*ÉNÉIDE* DE VIRGILE

« TOUT LE SUJET DE CETTE TRAGÉDIE »

Les deux préfaces que Racine a données à sa tragédie s'ouvrent abruptement par une longue citation latine de l'*Énéide* de Virgile, suivie d'un commentaire laconique : « Voilà, en peu de vers, tout le sujet de cette tragédie. Voilà le lieu de la scène, l'action qui s'y passe, les quatre principaux acteurs, et même leurs caractères [1]. » Racine s'autorise de l'œuvre antique la plus admirée au XVIIe siècle : manière de répondre à ses critiques qui l'accusaient de n'avoir pas assez « le goût de l'Antiquité » et de défigurer les héros du passé [2]. Cet extrait de l'*Énéide* rapporte le récit qu'Andromaque a fait à Énée de son accession au trône de Pyrrhus (les italiques signalent les passages coupés par Racine) :

> [...] nous longeons les côtes de l'Épire, nous entrons dans le port de la Chaonie, et nous montons à la ville élevée de Buthrote.
> *Là, un bruit incroyable vient frapper mes oreilles : on dit que le fils de Priam, Hélénus, règne sur des villes grecques ; qu'il possède l'épouse et le sceptre de l'Éacide Pyrrhus, et qu'Andromaque est passée de nouveau à un mari troyen. Je suis frappé de stupeur, et je brûle d'un étrange désir d'interroger ce prince et de connaître ces grands événements. Je m'éloigne du port, abandonnant ma flotte et le rivage.* En ce moment, par hasard, *dans un bois sacré à l'entrée de la ville, aux bords d'un faux Simoïs,* Andromaque offrait aux cendres d'Hector un sacrifice solennel et des libations funéraires ; elle invoquait les Mânes près d'un tombeau vide de vert gazon qu'elle avait consacré à son ancien époux, avec deux autels, source de larmes. *Quand elle m'aperçut qui venais, et qu'elle vit autour de moi les armes troyennes, éperdue, effrayée de cette apparition formidable, elle demeura figée à ma vue ; son sang se glaça dans ses veines ; elle tombe évanouie, et c'est avec peine qu'après un long silence elle me dit : « Est-ce bien toi que je vois ? es-tu celui que ton visage m'annonce, fils d'une déesse ? vis-tu ? ou, si la lumière sacrée t'a été ravie, où est Hector ? »* Elle dit, et versa des larmes, et remplit tout le lieu de ses cris. Devant son désespoir, je lui réponds à peine, et, troublé, lui adresse ces quelques mots entrecoupés : « Oui, je vis, et je traîne ma vie au milieu de tous les malheurs. N'en doute pas : ce que tu vois est réel...

---

1. Voir p. 14 et 17.
2. Saint-Évremond, « Lettre à Mme Bourneau » (1666), dans *Œuvres en prose*, éd. René Ternois, Didier, 1965, p. 83. Voir Dossier, 3.

Hélas ! tombée d'un si grand époux, à quelle condition es-tu réduite ?
ou quel sort digne de toi t'a accueillie ? Est-ce bien toi, l'Andromaque
d'Hector, qui partages la couche de Pyrrhus ? »

Elle baissa les yeux et répondit à voix basse : « Ô heureuse entre
toutes la fille de Priam, condamnée à mourir près du tombeau d'un
ennemi, au pied des hautes murailles de Troie ! elle, qui n'eut point
à subir les chances du sort, et ne foula point, captive, le lit d'un
maître vainqueur ! Nous, après l'embrasement de notre patrie,
emportées à travers des mers lointaines, nous avons essuyé les
dédains du rejeton d'Achille et supporté ce superbe jeune homme,
devenues mères dans la servitude. Bientôt, il suivit la Lédéenne Hermione et les hyménées lacédémoniens, *et me mit, esclave, en la posses-*
sion de son esclave Hélénus. Mais, enflammé d'un grand amour pour
sa fiancée ravie et en proie aux Furies vengeresses, Oreste surprend
son rival sans défense et l'égorge au pied des autels de son père. *Par*
la mort de Néoptolème une partie de ce royaume revint à Hélénus, qui
donna le nom de Chaonie aux campagnes et à tout le pays en souvenir
du Troyen Chaon, et qui bâtit sur ces hauteurs une Pergame, citadelle
d'Ilion. Mais toi, quels vents, quels destins ont conduit ta course ? Quel
dieu t'a fait aborder, l'ignorant, sur nos côtes ? Que devient le petit
Ascagne ? vous reste-t-il ? la brise le nourrit-elle encore ? Quand il
naquit, Troie déjà… Regrette-t-il, tout enfant qu'il est, la perte de sa
mère ? L'exemple de son père Énée et de son oncle Hector l'excite-t-il
à montrer l'antique vertu et le mâle courage de ses ancêtres ? »

Ainsi parlait-elle en pleurant, et elle poussait en vain de longs
gémissements, quand s'avance des remparts le héros, fils de Priam,
avec une nombreuse suite : il reconnaît ses compatriotes, les conduit
avec joie à son palais, et fond en larmes à chacune de ses paroles. Je
m'approche, et je reconnais une petite Troie, une Pergame qui imite
la grande, un ruisseau à sec du nom de Xanthe, et j'embrasse le seuil
de la porte Scée [1].

L'action principale de la tragédie de Racine est bien celle du
récit de l'*Énéide* : la mort de Pyrrhus, persécuteur d'Andromaque, qui donne la royauté à celle-ci. Racine trouve aussi chez
Virgile les « caractères » de ses principaux personnages (à
l'exception d'Hermione, tout juste nommée) : Pyrrhus, jeune
vainqueur plein de superbe, Oreste, animé par la passion et
hanté par les Furies, et surtout Andromaque, persécutée par
Pyrrhus, endeuillée par la destruction de Troie et la mort de
son époux Hector. Il puise de surcroît dans l'*Énéide* un mobile

---

1. Virgile, *Énéide*, III, v. 292-351, trad. Maurice Rat, GF-Flammarion,
2011, p. 79-81.

au meurtre de Pyrrhus – l'amour furieux d'Oreste pour Hermione – qui lui sert à bâtir l'action secondaire de sa pièce.

Si sa tragédie diffère toutefois en bien des points du récit de Virgile, les modifications ne portent que sur les circonstances qui aboutissent à la mort de Pyrrhus et au couronnement d'Andromaque : elles sont parfaitement licites dans le cadre de la poétique classique de la tragédie, où seule l'action principale ne saurait être altérée[1]. Dès cette citation, Racine masque néanmoins quelques-unes des modifications les plus radicales qu'il a apportées au texte de Virgile. Il supprime toutes les références à Hélénus et à son mariage avec Andromaque, afin de se « conformer à l'idée que nous avons maintenant de cette princesse », qui n'est guère connue au XVIIᵉ siècle que comme « la veuve d'Hector[2] ». Il passe aussi sous silence les répliques du décor troyen qu'Andromaque a fait construire en Épire : ces détails campaient la veuve d'Hector comme vouée à la seule mémoire de Troie après la mort de Pyrrhus, ce qui s'accorde mal avec le dénouement de sa propre tragédie, où Andromaque agit en « veuve fidèle » de Pyrrhus et « commande qu'on le venge » (V, 5, v. 1590-1591).

« ADOUCIR UN PEU LA FÉROCITÉ DE PYRRHUS »

Si « tout le sujet » de sa tragédie tient dans cet extrait de l'*Énéide*, Racine affirme dans sa première préface n'avoir pris qu'une liberté à l'égard de Virgile : « ç'a été d'adoucir un peu la férocité de Pyrrhus, que Sénèque, dans sa *Troade*, et Virgile, dans le second livre de l'*Énéide*, ont poussée beaucoup plus loin que je n'ai cru le devoir faire[3] ». Dans *Andromaque*, cette férocité ne se manifeste plus que verbalement, par les menaces que Pyrrhus adresse à Andromaque. Racine en relègue les manifestations physiques hors de la scène, dans le passé. Ainsi, lorsque Andromaque évoque le sac de Troie (III, 8, v. 992-1008), Racine condense un long passage du chant II de l'*Énéide* où l'assassinat de Priam par Pyrrhus est raconté par Énée, qui assiste à la scène depuis le toit du palais.

---

1. Voir Présentation.
2. Seconde préface, p. 18.
3. Première préface, p. 14.

Devant la porte, dans le vestibule et sur le seuil même du palais, Pyrrhus exulte, resplendissant de l'éclat que jettent ses armes d'airain. Tel reparaît à la lumière, repu d'herbes vénéneuses, le serpent que les frimas de l'hiver tenaient engourdi sous la terre ; maintenant, ayant fait peau neuve, et tout brillant de jeunesse, il déroule, en soulevant sa poitrine, sa croupe luisante, dressé au soleil, et darde dans sa gueule une langue à triple dard. Avec lui le gigantesque Périphas, l'écuyer Automédon, conducteur des chevaux d'Achille, et toute la jeunesse de Scyros [1] s'avancent au pied du palais et lancent des flammes sur le faîte. Lui-même, au premier rang, saisit une solide hache à deux tranchants, brise le seuil et arrache de leurs gonds les battants en airain ; et déjà il a entamé la poutre, creusé le rouvre dur et pratiqué une énorme brèche d'une large ouverture : on voit apparaître l'intérieur du palais et se déployer des longs atriums, apparaître les appartements de Priam et des vieux rois, et des guerriers debout sur le seuil même.

Cependant l'intérieur du palais est en proie à la douleur et à un tumulte lamentable, et les pièces les plus retirées retentissent de hurlements de femmes : cette clameur va frapper les constellations d'or. Épouvantées, des mères parcourent l'immense palais, tiennent les portes embrassées et les couvrent de baisers. Pyrrhus, héritier de la violence paternelle, les poursuit ; ni les barrières ni les gardes même ne suffisent à l'arrêter : sous les coups répétés du bélier la porte s'écroule et leurs battants tombent, arrachés de leurs gonds. Les Danaens [2] se frayent un chemin par la violence, forcent l'entrée, se ruent sur les gardes qu'ils massacrent, et remplissent tous les lieux de soldats. Le fleuve a moins de fureur, qui a rompu ses digues, s'élance écumant, renverse les obstacles qui l'arrêtent dans sa course, roule dans les guérets ses flots amoncelés et entraîne à travers toute la plaine des troupeaux avec leurs étables. J'ai vu moi-même, ivre de carnage, Néoptolème [3] et les deux Atrides sur le seuil ; j'ai vu Hécube [4] et ses cent brus, et Priam au milieu des autels souillant de sang les feux qu'il avait consacrés lui-même. Les cinquante chambres nuptiales, espoir d'une postérité si nombreuse, les portes, enrichies de l'or et des dépouilles des Barbares, tout s'est écroulé : les Danaens occupent ce qui est épargné du feu.

Peut-être aussi voudras-tu savoir ce que fut le destin de Priam. Quand il vit le désastre de sa ville envahie, le seuil de son palais arraché, l'ennemi au milieu de ses foyers, en vain le vieillard recouvre de ses armes, dont depuis longtemps il avait perdu l'habitude, ses épaules que l'âge fait trembler, ceint un glaive inutile et se jette pour mourir au milieu des ennemis.

---

1. Île grecque où vivait Pyrrhus lorsque Ulysse est venu le chercher pour le mener à la guerre avec toute la jeunesse de cette île.
2. Autre nom des Grecs.
3. Autre nom de Pyrrhus.
4. Hécube est l'épouse de Priam.

Au milieu du palais, il y avait, à ciel ouvert, un immense autel, et, tout à côté, un laurier s'inclinant sur lui et couvrant de son ombre les Pénates. Là, Hécube et ses filles, assises en vain autour de l'autel, comme des colombes qu'une noire tempête a précipitées, se serraient, embrassant les images des dieux. Quand la reine voit Priam revêtu des armes de la jeunesse : « Quelle funeste pensée, ô malheureux époux, t'a poussé à ceindre ces armes ? où cours-tu ? lui dit-elle. Ce n'est ni un tel secours ni des défenseurs de cette sorte que l'instant réclame ; non, s'il était vivant, mon Hector même ne pourrait rien faire. Viens donc par ici : cet autel nous sauvera tous ou bien tu mourras avec nous. » Ayant dit ces mots, elle accueillit près d'elle le vieillard et le fit asseoir dans l'enceinte sacrée.

Mais voici qu'échappé au carnage de Pyrrhus Polite, l'un des fils de Priam, à travers les traits et les ennemis, fuit par les longs portiques, et passe par les atriums vides ; il est blessé ; l'ardent Pyrrhus le talonne, l'épée haute, et déjà le saisit et le presse de sa lance. Enfin, arrivé en présence et en vue de ses parents, il s'affaissa sur lui-même et exhala sa vie dans un flot de sang. Alors Priam, quoique déjà sous le coup de la mort, ne se posséda plus et ne put retenir sa voix ni sa colère : « Ah ! pour prix de ton crime, s'écrie-t-il, pour prix d'une telle audace, que les dieux (s'il est au ciel quelque piété ayant de pareils soucis) te donnent la récompense dont tu es digne et te payent le salaire qui t'est dû, toi qui m'as fait assister à la mort de mon fils, et as souillé de son meurtre les regards de son père ! Cet Achille, dont tu prétends faussement être engendré, ne s'est pas comporté de la sorte à l'égard de Priam, son ennemi ; mais il a respecté les droits et la sainteté d'un suppliant, il a rendu au sépulcre le corps exsangue d'Hector, il me l'a renvoyé dans mes États. » Ainsi parla le vieillard, et de sa main débile il lança un trait sans force, que l'airain aussitôt repoussa avec un bruit rauque, et qui resta suspendu en vain à la bosse du bouclier. Alors Pyrrhus : « Eh bien ! tu vas t'en aller, en messager, rapporter ceci à mon père le Pélide [1] : souviens-toi de lui raconter mes tristes exploits et de lui dire que Néoptolème dégénère. En attendant, meurs ! » Ce disant, il traîna au pied des autels le vieillard tremblant et qui glissait dans le flot de sang de son fils, il lui saisit la chevelure de la main gauche, et, de la droite, brandissant son épée étincelante, la lui enfonça dans le flanc jusqu'à la garde. Ainsi finirent les destins de Priam, ainsi mourut, par l'ordre du sort, à la vue de Troie en feu et de Pergame en ruine, ce dominateur superbe de l'Asie, maître jadis de tant de peuples et de tant de pays : sur le rivage gît un tronc gigantesque, une tête séparée des épaules, un corps sans nom [2].

---

1. Achille, fils de Pelée.
2. Virgile, *Énéide*, II, v. 469-558, *op. cit.*, p. 63-65.

Tandis qu'Énée était chez Virgile un spectateur éloigné, Racine fait d'Andromaque le témoin et la narratrice de la scène, au cœur de l'action ; elle est aussi plus personnellement impliquée, puisqu'il s'agit du massacre de son beau-père. L'hypotypose [1] à laquelle se livre Racine dans sa réécriture renforce le pathétique : les apostrophes et les verbes à l'impératif (« Songe, songe, Céphise… », « Figure-toi Pyrrhus… », « Peins-toi… ») permettent la « convocation impérieuse d'un regard, celui de l'interlocuteur érigé en témoin oculaire [2] ». La sélection qu'il opère dans le texte de Virgile de quelques détails frappants, renforcés par un principe pictural de clair-obscur, sollicite en peu de vers l'imagination et l'émotion du spectateur.

Racine « adoucit » toutefois la « férocité » de Pyrrhus : les aspects les plus sanglants du récit de Virgile disparaissent. Racine évite également la nomination directe et privilégie métonymies et synecdoques (« la flamme », « le fer ») ; il préfère aux termes descriptifs concrets les termes moraux abstraits ou généraux (« cette nuit cruelle », « ces horreurs », « ses crimes »). C'est que l'hypotypose a aussi fonction argumentative : elle « corrige l'image faussement épique de Pyrrhus [3] » que Céphise vient de peindre en qualifiant d'« exploits » (v. 991) ses actions guerrières, pures « horreurs » aux yeux d'Andromaque et, grâce à cette figure de style, aux yeux du spectateur.

L'ANDROMAQUE D'EURIPIDE

« LA JALOUSIE ET LES EMPORTEMENTS » D'HERMIONE

Le seul « caractère » que le récit de Virgile ne présente guère est celui d'Hermione. C'est sur l'*Andromaque* d'Euripide (composée autour de 425 av. J.-C.) que Racine s'est appuyé pour

---

1. Figure qui consiste à « peindre les choses d'une manière si vive et énergique, qu'elle les met en quelque sorte sous les yeux, et fait d'un récit ou d'une description, une image, un tableau, ou même une scène vivante » (Pierre Fontanier, *Les Figures du discours* [1821-1827], Flammarion, « Champs », 1977, p. 391).
2. Gilles Declercq, « À l'école de Quintilien : l'hypotypose dans les tragédies de Racine », *Revue Op. cit.*, Presses de l'université de Pau, n° 5, novembre 1995, p. 79.
3. *Ibid.*, p. 76.

créer ce personnage. Les données de cette tragédie grecque sont différentes de celle de Racine, comme il le signale dans sa seconde préface [1]. Chez Euripide, Hermione, épouse de Pyrrhus mortellement jalouse d'Andromaque, veut profiter de l'absence du fils d'Achille pour faire mourir celle-ci et l'enfant qu'elle a eu de Pyrrhus, Molossos ; Ménélas, le père d'Hermione, vient lui prêter main-forte. La première apparition d'Hermione sur scène, qui vient menacer et invectiver Andromaque réfugiée dans le sanctuaire de Thétis, rend bien compte de la « jalousie » et des « emportements [2] » qui caractérisent la princesse de Sparte dans cette tragédie.

Premier épisode

Entrée d'Hermione qui s'adresse d'abord au chœur.

HERMIONE

La fastueuse parure d'or autour de ma tête,
l'étoffe des vêtements chamarrés autour de mon corps
ne sont pas les prémices prélevées sur les maisons
d'Achille ou de Pélée que j'apporte ici avec moi.
Ils viennent de Laconie [3], de la terre de Sparte,
c'est Ménélas mon père qui me les donne
avec une dot immense ; aussi puis-je parler librement.
En ce qui vous concerne, voilà donc ma réplique.

S'adressant à Andromaque.

Toi qui n'es qu'une esclave, une femme conquise à la guerre,
tu prétends nous jeter dehors et prendre possession de ce
palais ; tes drogues me rendent odieuse à mon mari,
et à cause de toi mon ventre dépérit et ne s'arrondit pas.
Il est habile en ces matières l'esprit des femmes du continent [4] ! Mais je
    vais t'en empêcher,
et la demeure, ici, de la Néréide [5] ne te servira de rien,

---

1. Voir p. 18.
2. Première préface, p. 14.
3. Région de Sparte.
4. Pour les Grecs, le mot « continent » désigne l'Asie, où se situe Troie.
5. Thétis, mère d'Achille et grand-mère de Pyrrhus, est quant à elle une nymphe, fille du dieu marin Nérée, d'où ce nom de « Néréide ».

pas plus que son autel ni son temple : et non ; tu vas mourir.
Un mortel ou un dieu veut-il te sauver ?
Il faut d'abord que tu dises adieu à ces pensées liées à ton opulence
   passée,
que tu te blottisses humblement, que tu te jettes à mes genoux,
que tu balayes ma demeure, qu'en puisant dans un vase en or martelé
tu asperges le sol de ta main avec la rosée de l'Achéloos [1],
que tu comprennes enfin en quel lieu tu te trouves. Il n'y a pas
   d'Hector ici,
ni de Priam, ni d'or : c'est une cité grecque.
Quel est ton degré d'inconscience, malheureuse,
pour oser coucher avec le fils de l'homme qui a tué ton mari,
et avoir des enfants avec son meurtrier ?
C'est bien là toute la race barbare !
Un père s'unit à sa fille, un fils à sa mère,
une fille à son frère ; les parents les plus proches vont de meurtre
en meurtre, et la loi n'empêche aucun de ces crimes.
Point de ces mœurs chez nous ! Non ! Il n'est pas bien
qu'un seul homme tienne les rênes de deux femmes ;
tournant ses yeux vers une seule couche, un seul amour,
il s'en contente, celui qui ne veut pas de désordre dans sa maison.

LE CORYPHÉE

La jalousie habite l'esprit des femmes,
mais les plus hargneuses sont toujours celles qui se partagent le même
   homme.

ANDROMAQUE

Hélas ! Hélas !
La jeunesse pour les mortels est vraiment un fléau,
et avec la jeunesse, l'injustice humaine !
Pour moi, je crains que ma condition d'esclave
ne me prive de paroles, quand j'ai tant de justes raisons.
Et si inversement je l'emporte, j'ai bien peur d'en payer le prix ;
car ceux qui respirent l'orgueil supportent avec amertume
que les propos les plus forts émanent de plus faibles qu'eux.
Pourtant, on ne me surprendra pas à me trahir moi-même.
Dis-moi, jeune femme, sur quelle garantie
m'appuierais-je pour te priver d'un mariage légitime ?
La cité de Sparte ne vaut-elle pas celle des Phrygiens,
leur sort est-il meilleur, et me vois-tu libre ?

---

1. Fleuve de la Grèce du Nord-Ouest qui sépare l'Étolie de l'Arcanie,
mais le mot sert de manière poétique à exprimer l'eau courante.

Ou bien la jeunesse et la vitalité débordante de mon corps,
la grandeur de ma cité et mes amis m'ont-ils à ce point grisée
que je veuille occuper cette demeure, la tienne, à ta place ?
Ou est-ce pour enfanter moi-même des enfants à ta place,
des esclaves, malheureuse remorque à mon malheur ?
Supportera-t-on que mes fils
deviennent rois de Phthie, si toi tu n'en as pas ?
Sans doute les Grecs m'aiment-ils, surtout en souvenir d'Hector !
Moi-même, étais-je obscure, et non pas reine des Phrygiens ?
Si ton mari te hait, mes drogues n'y sont pour rien,
c'est que tu n'es pas faite pour la vie en commun.
Le seul philtre, le voici : ce n'est pas notre beauté, femme,
mais nos vertus qui charment nos compagnons de lit.
Or toi, dès qu'on te lance quelque banderille, tu magnifies
la cité laconienne, mais à Skyros, tu n'accordes nulle place !
Tu es riche chez des gens qui ne le sont pas, et pour toi Ménélas
est plus grand qu'Achille : voilà ce que déteste ton mari.
Car une femme, fût-elle mariée à un époux sans grandeur,
doit s'en contenter, et non rivaliser avec lui d'arrogance.
Si ton époux était roi de Thrace, ce pays ruisselant de
neige où un seul homme, à tour de rôle,
partage sa couche avec beaucoup de femmes,
est-ce que tu les aurais tuées ? Alors la preuve serait faite que tu
    attribues
à toutes les femmes l'amour irrépressible du lit.
Quelle honte ! Car si nous souffrons de ce mal plus que
les hommes, du moins le cachons-nous avec noblesse.
Hector, mon bien-aimé, moi, pour te plaire,
j'allais jusqu'à m'associer à tes amours, si Cypris te faisait trébucher,
et il m'est souvent arrivé d'offrir mon sein à tes bâtards,
pour ne faire naître en toi aucune amertume.
En agissant de la sorte, par ma vertu, je me suis attaché
mon mari. Toi au contraire, tu ne permets même pas
qu'une goutte de rosée céleste s'approche de ton mari, tellement tu
    as peur.
Ne cherche pas, femme, à dépasser ta mère dans son goût
pour les hommes. Quand les mères sont mauvaises,
il faut que leurs enfants, pour autant qu'ils sont sensés, fuient leurs
    manières [1].

Les emportements d'Hermione se manifestent par la manière
dont elle s'arroge le droit à la parole – elle attribue au chœur

1. Euripide, *Andromaque*, v. 147-231, dans *Théâtre complet*, t. I, trad. Laurence Villard, Claire Nancy et Christine Mauduit, éd. Monique Trédé, GF-Flammarion, 2000, p. 64-67.

des intentions que celui-ci n'a même pas l'occasion d'exprimer [1] – et la façon injurieuse dont elle ravale Andromaque à son statut servile. Sa jalousie la dispose à commettre un sacrilège en projetant d'exécuter Andromaque dans un lieu consacré. Hermione accuse même Andromaque de chercher à l'empoisonner pour la rendre stérile afin de prendre sa place auprès de Pyrrhus – dans la tragédie de Racine, elle lui imputera la volonté de séduire ce dernier [2]. La tragédie grecque contient ainsi le motif, absent de l'*Énéide*, d'une rivalité entre Andromaque et Hermione, qui permet à Racine d'unifier les deux actions déjà présentes chez Virgile mais indépendantes l'une de l'autre : l'action principale (l'assassinat de Pyrrhus faisant passer Andromaque du rang de captive à celui de reine) et l'action secondaire (l'amour furieux d'Oreste pour Hermione qui motive l'assassinat de Pyrrhus).

UNE AUTRE MORT DE PYRRHUS

Racine utilise au moins un autre élément de la tragédie d'Euripide : le récit qui y est fait de la mort de Pyrrhus. Dans l'*Énéide*, Oreste « surprend son rival sans défense et l'égorge » lui-même. Il n'en va pas de même dans le dénouement d'Euripide, qui s'appuie sur la version, traditionnelle dans l'Antiquité, qui veut que Pyrrhus soit mort à Delphes, puni par Apollon [3].

LE MESSAGER

Arrivés sur la terre glorieuse de Phoïbos,
nous avons occupé trois pleines révolutions du soleil
éclatant à livrer nos yeux à la contemplation.
Et cela parut suspect ; le peuple qui habite auprès de
la demeure du dieu se rendait à des réunions, des cercles se formaient.
Le fils d'Agamemnon, lui, parcourait la ville
en instillant dans l'oreille de chacun des paroles hostiles :
« Vous voyez cet individu qui parcourt les vallons
du dieu remplis d'or, les trésors offerts par les mortels ?

---

1. Voir le commentaire de Jean Bollack dans son édition d'*Andromaque* d'Euripide (Minuit, 1969, p. 78).
2. Voir v. 435 et 441-460.
3. Le motif de cette punition varie selon les sources : Pyrrhus est châtié soit pour avoir tué Priam sur un autel, soit pour avoir osé demander réparation à Apollon, qui avait aidé Pâris à tuer Achille.

C'est la deuxième fois qu'il est ici, et il poursuit le même but que
    précédemment :
il veut mettre à sac le temple de Phoïbos. »
Et dès lors un grondement hostile se répandait dans la ville,
les salles du Conseil se remplissaient de magistrats,
et, de leur propre chef, tous ceux qui étaient préposés aux richesses
    du dieu
installèrent une garde sous les colonnades.
Quant à nous, qui étions avec nos brebis nourries des feuillages
du Parnasse, ne sachant encore rien de tout cela,
nous nous sommes placés près de l'autel
en compagnie des proxènes [1] et des devins pythiques.
Et l'un d'eux déclara : « Jeune homme, quelle prière
allons-nous adresser au dieu en ton nom ? Pourquoi es-tu venu ? »
Et il répondit : « À Phoïbos, je veux offrir
réparation pour une faute passée ; car je lui avais jadis
demandé justice pour le sang de mon père. »
C'est alors qu'apparut le grand crédit rencontré
par le récit d'Oreste, prétendant que mon maître était un menteur,
venu là avec de honteux desseins. Il franchit les marches,
pénètre à l'intérieur du sanctuaire, afin de prier Phoïbos
devant la salle oraculaire, et se trouve en présence des victimes que
    l'on brûle ;
mais contre lui une troupe, armée d'épées, s'était placée en embuscade
à l'ombre du laurier ; parmi eux, le fils de Clytemnestre,
le seul, par ses artifices, à avoir tramé tout le piège.
Et lui, debout à la vue de tous, adresse sa prière au dieu ;
les autres, armés de coutelas acérés,
traîtreusement percent le fils d'Achille alors sans arme.
Il recule de quelques pas, car on ne l'avait pas touché
à un point vital ; il dégaine, et, arrachant au portique
des armes suspendues aux clous,
il se dresse sur l'autel, guerrier farouche à voir ainsi armé.
En criant, il interroge les fils des Delphiens :
« Pourquoi me tuez-vous ? Je suis venu
par piété. De quoi m'accuse-t-on pour me faire périr ? »
Parmi eux – ils étaient là des milliers – nul ne fit entendre
le moindre mot, mais de leurs mains ils le frappaient avec des pierres.
Accablé par cette grêle qui de tous côtés tombait dru,
il tendait ses armes devant lui et se garait des projectiles
en tendant ici et là son bouclier à bout de bras.
Mais il n'arrivait à rien ; une multitude de traits à la fois,
flèches, javelots à courroie, doubles broches à percer les bœufs
retirées de leurs gorges, tombaient devant ses pieds.

---

1. Citoyens accueillant et protégeant les citoyens d'une autre cité.

Tu aurais vu quelle effroyable pyrrhique [1] dansait ton enfant
pour se protéger des traits ! Mais comme tous, en cercle autour de lui,
le pressaient sans lui permettre de souffler,
il abandonne le foyer de l'autel qui reçoit les brebis,
et, bondissant sur ses pieds, il exécute le fameux bond troyen [2]
et s'élance contre eux ; comme des colombes
à la vue d'un faucon, ils tournèrent le dos et prirent la fuite.
Beaucoup tombaient pêle-mêle, les uns blessés,
les autres piétinés entre eux dans les étroits passages qui mènent aux
    sorties.
Dans la demeure sacrée, une clameur sacrilège retentit,
que les rochers répercutaient ; dans cette sorte d'embellie,
mon maître se dressait, rayonnant de l'éclat de ses armes,
jusqu'au moment précis où, du milieu du sanctuaire, se fit entendre
une voix terrible à donner le frisson ; elle fit faire volte-face à la troupe
qui repartit à l'attaque. C'est alors que le fils d'Achille
tombe, frappé au flanc par un coutelas acéré,
brandi par un Delphien qui le tua
aidé de beaucoup d'autres ; quand il tombe à terre,
qui ne l'attaque à coups d'épée, à coups de pierres,
lançant de loin, frappant de près ? Son corps si beau
disparaît entièrement sous de sauvages blessures.
Son cadavre, qui gît près de l'autel,
on l'a jeté dehors, loin du temple qui reçoit les sacrifices.
Et nous, nous l'avons aussitôt saisi dans nos bras,
et nous te l'apportons, pour qu'en sanglotant tu gémisses sur lui,
que tu le pleures, vieillard, et que tu lui accordes l'honneur d'une
    tombe.
Voilà ce que le seigneur qui aux hommes rend ses oracles,
l'arbitre de justice pour tout le genre humain,
voilà ce qu'il a fait au fils d'Achille venu s'acquitter en pleine justice.
Tel un homme méchant, il s'est souvenu
d'une ancienne querelle. Où donc est sa sagesse [3] ?

Dans cette version, Oreste ne porte pas lui-même la main
sur Pyrrhus : l'assassinat est collectif, ourdi par les mensonges
d'Oreste auprès de la foule, et soutenu par le dieu. Oreste est
néanmoins toujours désigné par le messager comme le principal
coupable du crime, d'autant plus abominable qu'il est commis
lâchement, par ruse et calomnie [4].

1. Danse des guerriers en armes.
2. Référence au bond qu'a fait Achille pour s'élancer de son navire et
sauter sur le sol troyen.
3. Euripide, *Andromaque*, v. 1085-1165, *op. cit.*, p. 106-109.
4. Pour une étude des enjeux de la récriture de ce dénouement par
Racine, voir Présentation.

En accablant ainsi Oreste, Euripide donne symétriquement de Pyrrhus une image de victime sympathique, que renforcent d'autres scènes : Andromaque, en effet, formule à plusieurs reprises sa confiance en lui pour châtier Hermione et Ménélas et protéger leur fils [1]. Toutefois, elle reste la victime de la brutalité du fils d'Achille, et Oreste évoque l'insolence avec laquelle Pyrrhus lui a pris Hermione autrefois [2]. Il y a donc tension entre deux visages de Pyrrhus, voire entre deux tragédies : l'une où Pyrrhus est le brutal persécuteur d'Andromaque, l'autre où il est son protecteur contre Hermione. Cette tension affecte aussi le personnage d'Andromaque, comme l'a montré Paul Bénichou : elle manifeste, d'une part, « l'amertume qu'elle éprouve de son sort, son regret d'Hector, sa répugnance à s'unir au fils d'Achille » et, d'autre part, « la résignation, et aussi une sorte de révérence pour Néoptolème son maître, et le père de l'enfant menacé. [...] Ce mélange de sentiments, bien conforme à la condition d'une captive antique et sans doute traditionnel, la maintient en deçà du degré de pureté tragique que sa légende tend à lui accorder [3] », pureté tragique que, toujours selon Paul Bénichou, Racine aurait mieux atteinte qu'Euripide (mais non parfaitement) [4].

---

1. Euripide, *Andromaque*, v. 269 et 339-340, *op. cit.*, p. 70 et 72.
2. *Ibid.*, v. 971-981, p. 100.
3. Paul Bénichou, « Andromaque captive puis reine », *L'Écrivain et ses travaux*, José Corti, 1967, p. 216.
4. Sur un « mélange de sentiments » comparable dans la tragédie de Racine, voir Présentation et Dossier, 3.

Andromaque a déclenché une de ces polémiques littéraires dont le XVIIᵉ siècle est familier, depuis la Querelle du *Cid* en 1637 jusqu'à celle suscitée par *La Princesse de Clèves* en 1678, en passant par les affrontements entre Molière et ses adversaires autour de *L'École des femmes* en 1662-1663. L'intervention la plus importante dans cette « Querelle d'*Andromaque* » est une comédie intitulée *La Folle Querelle ou la Critique d'Andromaque*, d'Adrien Thomas Perdou de Subligny, que Molière et sa troupe montent dès mai 1668, six mois après la création d'*Andromaque* en novembre 1667.

COMMENT AMÉLIORER UNE TRAGÉDIE INVRAISEMBLABLE ET IRRÉGULIÈRE ?

Dans sa préface, Subligny commence par dire l'éblouissement qui fut le sien en découvrant *Andromaque* sur scène, en dépit de certaines réserves ; ce n'est qu'en réaction aux éloges à ses yeux excessifs qu'il s'est résolu à publier ses critiques, dont le but déclaré est de permettre à Racine de ne pas se contenter de ce succès et de remédier aux fautes commises dans *Andromaque*.

> Je fus charmé à la première représentation de l'*Andromaque*, ses beautés firent sur mon esprit ce qu'elles firent sur ceux de tous les autres, et si je l'ose dire, j'adorai le beau génie de son auteur sans connaître son visage. Le tour de son esprit, la vigueur de ses pensées et la noblesse de ses sentiments m'enlevèrent en beaucoup d'endroits, et tant de belles choses firent que je lui pardonnai volontiers les actions peu vraisemblables ou peu régulières que j'y avais remarquées. Mais lorsque j'appris, par la suite du temps, qu'on voulait borner sa gloire à avoir fait l'*Andromaque*, et qu'on disait qu'il l'avait écrite avec tant de régularité et de justesse qu'il fallait qu'il travaillât toujours de même pour être le premier homme du monde, il est vrai que je ne fus pas de ce sentiment. Je dis qu'on lui faisait tort, et

qu'il serait capable d'en faire de meilleures. Je ne m'en dédis point, et quelque chagrin que puissent avoir contre moi les partisans de cette belle pièce, de ce que je leur veux persuader qu'elle les a trompés quand ils l'ont cru si achevée, je soutiens qu'il faut que leur auteur attrape encore le secret de ne les pas tromper, pour mériter la louange qu'ils lui ont donnée d'écrire plus parfaitement que les autres [1].

Les réserves de Subligny portent en fait sur l'essentiel : « les actions peu vraisemblables ou peu régulières » qu'il évoque engagent la construction même de l'intrigue, partie alors jugée la plus importante (elle est « l'âme de la tragédie », selon Aristote) [2]. Les éloges ne concernent que des éléments secondaires : le « tour de son esprit », les « pensées », les « sentiments » ne concernent que le détail de l'expression, et relèvent moins de l'art de la tragédie que de la rhétorique. Selon Subligny, le succès d'*Andromaque* repose ainsi sur un éblouissement provoqué par le brillant de l'expression, qui a détourné l'attention des fautes commises dans l'agencement de l'intrigue au regard de la vraisemblance et des règles. Mais l'examen réfléchi du texte dissipe cet éblouissement : Subligny en relève les incorrections qui font de ses vers un « galimatias » parfois incompréhensible. Racine a donné raison à ces critiques, en récrivant un certain nombre de vers pour les rééditions de sa tragédie. En revanche, il n'apportera aucune modification qui intégrerait les arguments de Subligny quant à la vraisemblance et au respect des règles : cela l'aurait obligé à transformer totalement son intrigue et à créer rien moins qu'une autre *Andromaque*.

POUR UNE *ANDROMAQUE* DE CORNEILLE

En résumant les multiples critiques que les personnages de sa comédie amplifieront, Subligny esquisse lui-même ce que pourrait être une *Andromaque* revue et corrigée. La démarche, pour nous surprenante, est caractéristique des modes de lecture de l'âge classique. La critique littéraire considère aujourd'hui

---

1. Subligny, « Préface » de *La Folle Querelle ou la Critique d'Andromaque* (1668), dans Racine, *Œuvres complètes*, *op. cit.*, p. 258-259.
2. Aristote, *Poétique*, chap. VI, 1450a38, trad. Pierre Destrée, dans *Œuvres complètes*, éd. Pierre Pellegrin, Flammarion, p. 2769.

que le texte est intangible, et se donne pour tâche de l'interpréter tel qu'il est, pour identifier, par exemple, la psychologie de Racine, sa vision de la passion ou encore sa conception du destin. Les critiques du xvII^e siècle, en revanche, n'envisagent une tragédie que comme une version simplement possible du sujet traité, toujours susceptible d'être améliorée : commenter, c'est alors évaluer le texte au regard d'autres traitements également possibles de ce sujet. Cette critique créatrice suppose que les lecteurs partagent une même « grammaire » du genre tragique, qui définit ce qui y est acceptable et ce qui ne l'est pas : ce sont les fameuses règles, ordonnées au but principal de la dramaturgie classique, à savoir la vraisemblance. Or, à la création d'*Andromaque*, cette grammaire est jugée parfaitement accomplie dans les tragédies de celui qu'on ne nommait plus autrement que « le grand Corneille ». L'*Andromaque* revue et corrigée que propose Subligny est ainsi une *Andromaque* de Corneille.

Si M. Corneille avait eu à traiter un sujet qui était de lui-même si heureux, il n'aurait pas fait venir Oreste en Épire comme un simple Ambassadeur ; mais comme un roi qui eût soutenu sa dignité. Il aurait fait traiter Pylade en roi à la cour de Pyrrhus, comme Pollux est traité à la cour de Créon dans la *Médée* [1] ; ou s'il eût manqué à le traiter en roi, il n'eût pas cherché à s'en excuser, en disant qu'il ne l'est que dans un dictionnaire historique, et qu'il ne l'est pas dans Euripide, car Pylade est roi dans Euripide même. Il aurait introduit Oreste le traitant d'égal, sans nous vouloir faire accroire, qu'autrefois le plus grand prince tutoyait le plus petit ; parce que cela n'a pu être entre des gens qui portaient la qualité de rois, et que quand cela aurait été, ce n'est pas les cérémonies des anciens rois qu'il faut retenir dans la tragédie, mais leur génie et leurs sentiments, dans lesquels M. Corneille est si bien entré qu'il en a mérité une louange immortelle ; et qu'au contraire ce sont ces cérémonies-là, qu'il faut accommoder à notre temps pour ne pas tomber dans le ridicule.

M. Corneille, dis-je, aurait rendu Andromaque moins étourdie, et pour faire un bel endroit de ce qui est une faute de jugement, dans la résolution qu'elle prend de se tuer, avant que le mariage soit consommé, il aurait tiré Astyanax des mains de Pyrrhus, afin qu'elle ne fût pas en danger de perdre le fruit de sa mort, et qu'on ne l'accusât point d'être trop crédule.

---

1. Allusion à *Médée*, tragédie de Corneille (représentée durant la saison 1634-1635 et publiée en 1639).

Il aurait conservé le caractère violent et farouche de Pyrrhus, sans qu'il cessât d'être honnête homme, parce qu'on peut être honnête homme dans toutes sortes de tempéraments ; et donnant moins d'horreur qu'il ne donne des faiblesses de ce prince qui sont de pures lâchetés, il aurait empêché le spectateur de désirer qu'Hermione en fût vengée, au lieu de craindre pour lui.

Il aurait ménagé autrement la passion d'Hermione ; il aurait mêlé un point d'honneur à son amour, afin que ce fût lui qui demandât vengeance plutôt qu'une passion brutale ; et pour donner lieu à cette princesse de reprocher à Oreste la mort de Pyrrhus avec quelque vraisemblance, après l'avoir obligé à le tuer ; il aurait fait que Pyrrhus lui aurait témoigné regret d'être infidèle, au lieu de lui insulter : qu'Oreste l'aurait prise au mot pour se défaire d'un rival, au lieu que c'est elle qui le presse à toute heure de l'assassiner ; et pour prétexter la conspiration d'Oreste, il n'aurait pas manqué de se servir, utilement, de ce qui fut autrefois la cause de la mort de Pyrrhus, en joignant l'intérêt des dieux [1] à celui de la jalousie.

Enfin il aurait modéré l'emportement d'Hermione, ou du moins il l'aurait rendue sensible pour quelque temps au plaisir d'être vengée. Car il n'est pas possible qu'après avoir été outragée jusqu'au bout, qu'après n'avoir pu obtenir seulement que Pyrrhus dissimulât à ses yeux le mépris qu'il faisait d'elle : qu'après *qu'il l'a congédiée, sans pitié, sans douleur du moins étudiée*, et qu'elle a perdu toute espérance de le voir revenir à elle, puisqu'il a épousé sa rivale, il n'est, dis-je, pas possible qu'en cet état elle ne goûte un peu sa vengeance.

Pour conclusion, M. Corneille aurait tellement préparé toutes choses pour l'action où Pyrrhus se défait de sa garde, qu'elle eût été une marque d'intrépidité, au lieu qu'il n'y a personne qui ne la prenne pour une bévue insupportable. Voilà ce que je crois que M. Corneille aurait fait, et peut-être qu'il aurait fait encore mieux [2].

ÉLOGE PARADOXAL D'*ANDROMAQUE*

La préface de Subligny à *La Folle Querelle* résume les nombreuses critiques qu'il développe dans sa pièce, dans le cadre d'une intrigue de comédie. Éraste y veut épouser Hortense, de

---

1. La tradition antique attribuait la mort de Pyrrhus à une punition d'Apollon. Euripide conserve ce motif de la vengeance divine (voir Dossier, 1).
2. Subligny, « Préface » de *La Folle Querelle ou la Critique d'Andromaque*, op. cit., p. 261-263.

gré ou de force, en s'autorisant de la promesse que lui en a faite Sylviane, la mère de la jeune femme. Mais Hortense aime Lysandre, et elle s'efforce de retarder le mariage en prenant prétexte de ce qu'Éraste, admirateur inconditionnel d'*Andromaque*, a refusé de céder devant les défauts qu'elle identifiait dans la tragédie de Racine ; Lysandre, de son côté, travaille à discréditer Éraste pour empêcher le mariage, et le ridiculise en se livrant à une critique minutieuse d'*Andromaque*. *La Folle Querelle* reprend ainsi la formule de Molière dans *La Critique de l'École des femmes* (1663) : tandis que les « honnêtes gens » blâment ici *Andromaque*, Subligny fait défendre la tragédie par des personnages sots et ridicules ; les éloges ainsi distribués sont en fait de violentes critiques de la tragédie.

ÉRASTE : [*Andromaque*] est la plus belle pièce qui soit sur la terre.

LA VICOMTESSE : J'aime tant la bonne foi de cette pauvre veuve, quand elle fait son testament, et qu'elle confie Astyanax à sa suivante, avant que de se tuer.

ÉRASTE : Hé bien, Madame, il y a eu des impertinents qui ont blâmé cela.

LA VICOMTESSE : Je le sais. Il y eut une petite créature qui trouva, hier, l'endroit délicat. Si j'avais, disait-elle, été à la place d'Andromaque, j'aurais voulu coucher deux ou trois nuits avec Pyrrhus, afin qu'il permît à Céphise de disposer de mon fils après ma mort. L'impertinente !

ÉRASTE : Bon ! Madame. Si elle eût fait cela, l'envie de se tuer ne lui serait peut-être pas demeurée, et cela aurait gâté sa vertu.

LA VICOMTESSE : Vous avez raison, et en dépit de cette spirituelle, c'est un chef-d'œuvre surprenant que cette tragédie.

ÉRASTE : Surprenant ? autant qu'il puisse l'être. Vous y voyez une Hermione qui court un Pyrrhus, et tous deux avoir une telle sympathie l'un avec l'autre, que quand celle-là a fait une scène avec sa Cléone, celui-ci la double aussitôt avec Phœnix son précepteur. Elle et lui n'ont qu'une même pensée. Ils s'expriment avec les mêmes mots, et cependant ce Pyrrhus n'en aime pas plus cette Hermione ; est-il rien de si admirable et de si surprenant ? Après, Madame, j'ai ouï dire qu'Astyanax fut précipité du haut d'une tour par Ulysse ; mais dans cette comédie sa mère le sauve fort subtilement, et trompe cet Ulysse, qui était le plus fin diable qui fût en France.

LA VICOMTESSE : Vous voulez dire en Grèce.

ÉRASTE : En Grèce, en France, qu'importe ; mais est-il rien de si surprenant ? [...]

LA VICOMTESSE : Cela n'est pas au goût d'Alcipe. Il dit que c'est une faute, d'avoir changé un événement aussi connu que la mort d'Astyanax ; que ce sont de ces histoires qu'on sait mieux que celles de notre temps même, et qu'on ne doit pas déguiser. Mais il ne sait pas que c'est ce qui fait la beauté de nos romans.

ÉRASTE : Peut-on ne pas trouver cela beau ? le benêt ! l'insensé ! le misérable !

LA VICOMTESSE : Ou bien, dit-il, quand on veut déguiser l'histoire, il faut que cela serve à quelque chose de grand et d'ingénieux, comme quand Ronsard sauve cet enfant, pour en tirer l'origine de plusieurs grands rois. Mais dans l'*Andromaque*, on le sauve sans dire pourquoi ni ce qu'il devient.

ÉRASTE : Quoi il parle de Ronsard ? de ce vieux Ronsard ? le fou ! le fou ! y en a-t-il de pareils aux petites-maisons [1] ? Je vous suis obligé, Madame, de m'en avoir tantôt débarrassé ; il me parlait sans cesse d'Oreste, et sans vous, il s'allait encore jeter sur la friperie de Pyrrhus.

LA VICOMTESSE : Ah ! pour Pyrrhus, Alcipe dit qu'il n'avait pas lu les romans.

ÉRASTE : Il ne les avait pas lus ! et que sait-il ? qui est-ce qui le lui a dit ? Je lui soutiens, moi, que Pyrrhus avait lu la *Clélie*.

LA VICOMTESSE, *riant* : Ah ! pour la *Clélie*, il ne se peut ; mais du moins il avait lu les romans de son temps ; car l'amour est l'âme de toutes ses actions, aussi bien que de la pièce, en dépit de ceux qui tiennent cela indigne des grands caractères. Enfin on a raison de renvoyer Corneille à l'école. Il n'a jamais fait rien d'approchant.

ÉRASTE : Corneille ? on m'a fait voir ce matin chez un libraire, que Corneille lui avait volé une scène presque entière, et vingt autres endroits, par-ci, par-là, pour mettre dans une de ses pièces.

LA VICOMTESSE : Comment ? Corneille a-t-il fait quelque pièce, depuis l'*Andromaque* ?

ÉRASTE : Parbleu ! Madame, c'est la scène où Hermione veut qu'Oreste aille tuer Pyrrhus. Je l'ai conférée avec celle de Corneille. Il y a une Émilie qui dit toute la même chose à un certain Cinna.

LA VICOMTESSE : Vous me raillez, Éraste.

---

1. Hospice où étaient notamment enfermés les fous.

ÉRASTE : Non, Madame ; je vous le ferai voir quand il vous plaira, et tous les autres endroits que je vous dis.

LA VICOMTESSE : Vous voulez me dire que l'auteur de l'*Andromaque* a pris cette scène dans le *Cinna*, qui est fait il y a trente ans ?

ÉRASTE : Tout de bon ? (*Bas.*) Se serait-on moqué de moi [1] ?

LA CRITIQUE DU CARACTÈRE DE PYRRHUS

L'intrigue amoureuse permet aussi de multiplier les analogies entre la situation des personnages de *La Folle Querelle* et celle des héros d'*Andromaque* : Éraste, qui agit comme Pyrrhus au début de la pièce, alternant discours galant et menaces, se trouve ensuite dans la même situation qu'Hermione, lorsque Hortense, à l'instar de Pyrrhus, change d'avis pour en épouser un autre. Subligny transpose ainsi plusieurs scènes d'*Andromaque* dans cet univers de bourgeois parisiens et d'intrigues matrimoniales, en confiant chaque fois à l'un de ses personnages l'explicitation de l'analogie avec la tragédie. *Andromaque* sert ainsi « de règle et de matière [2] » aux personnages de *La Folle Querelle* pour ridiculiser Éraste : Hortense « y trouve à tous moments de quoi [le] railler » en faisant des « applications [3] ». Mais la véritable cible de la raillerie est bien sûr la tragédie de Racine elle-même, et en particulier le personnage de Pyrrhus : les reproches d'Éraste contre l'infidélité d'Hortense ou contre l'invraisemblance des mensonges de celle-ci se retournent contre la conduite analogue de Pyrrhus dans *Andromaque*, inacceptable au regard des bienséances comme de la vraisemblance. En transposant si aisément l'action d'*Andromaque* en une intrigue amoureuse de comédie, Subligny insinue aussi que le sujet tel que l'a traité Racine est inapproprié au genre de la tragédie [4].

Dans la première scène qui réunit Hortense et Éraste (I, 2), celui-ci s'adresse à la jeune femme en termes galants, mais,

---

1. Subligny, *La Folle Querelle ou la Critique d'Andromaque*, II, 9, *op. cit.*, p. 279-280.
2. *Ibid.*, I, 2, p. 267.
3. *Ibid.*, II, 7, p. 278.
4. Sur les virtualités comiques d'*Andromaque*, voir Dossier, 5.

devant ses refus, change de ton et passe aux menaces, à la manière de Pyrrhus à la scène 4 de l'acte I.

ÉRASTE : Ah ! Madame, cela est insupportable. Doutez-vous que je ne vous aime infiniment ? Mais je vois bien que c'est pour vous venger du peu de complaisance, dont vous m'accusez, que vous feignez de vouloir ce retardement.

HORTENSE : Je ne feins point de le vouloir, je le veux en effet.

ÉRASTE : Hé comment ? Madame...

HORTENSE : Oui.

ÉRASTE : Eh ! je vous conjure...

HORTENSE : Point de nouvelles.

ÉRASTE : Ho ! vous m'épouserez pourtant, c'est trop vous moquer de moi. J'ai Madame votre mère et la raison de mon côté. L'heure de notre mariage a été résolue, et puisque vous ne le voulez point d'amitié, vous le voudrez de force. Songez-y bien.

HORTENSE : Ha ha ! Voilà le songez-y bien de *Pyrrhus*. Après qu'il a bien fait le doucereux auprès d'*Andromaque*, il la traite de la même façon. Je ne m'étonne plus, Monsieur, que vous défendiez si fort son caractère. C'est une politique d'excuser les défauts de nos semblables, et nous faisons pour nous-mêmes, en agissant de la sorte.

ÉRASTE : Eh ! Madame, quand on est au désespoir, quand on a de l'amour...

HORTENSE : Quand on a de l'amour, et qu'on est accoutumé à vivre parmi les honnêtes gens, on est respectueux. Je suis ravie vraiment de vous avoir si bien connu [1].

Plus loin, Hortense vient trouver Éraste pour lui annoncer son refus de l'épouser : elle adopte alors le discours de Pyrrhus à la scène 5 de l'acte IV, qu'Éraste louait si fort mais qui lui semble inadmissible dès lors qu'il en est lui-même le destinataire.

HORTENSE :
Vous ne m'attendiez pas, Monsieur ; et je vois bien
Que mon abord ici trouble votre entretien.
Je ne viens pas, armé d'un indigne artifice,

1. Subligny, *La Folle Querelle ou la Critique d'Andromaque*, I, 2, *op. cit.*, p. 267-268.

> *D'un voile d'équité couvrir mon injustice :*
> *Il suffit que mon cœur me condamne tout bas ;*
> *Et je soutiendrais mal ce que je ne crois pas.*

ÉRASTE : Qu'est-ce que cela veut dire, Madame ? ce que vous ne croyez pas.

HORTENSE : Cela est un peu galimatias ; mais il ne doit pas l'être pour vous. Hé quoi méconnaîtriez-vous des vers que vous estimez tant ? il faut vous parler en prose. Je viens donc vous dire, Monsieur, que j'épouse Lysandre.

ÉRASTE : Vous épousez Lysandre ?

HORTENSE : Oui, Monsieur, et j'avoue que l'on vous avait voué la foi que je lui voue. Une autre que moi vous dirait que sa Mère aurait fait cela sans consulter son cœur, et que sans amour elle aurait été engagée à vous ; mais je ne veux pas m'excuser. Si vous voulez, j'épouse Lysandre, parce que je veux être traîtresse. Éclatez contre moi. Donnez-moi tous les noms destinés aux parjures. Je ne crains pas vos injures.

> *Et, bien loin de contraindre un si juste courroux,*
> *Il me soulagera, peut-être, autant que vous.*

ÉRASTE : Ah ! que cela est beau, de venir ainsi chercher les gens pour leur faire insulte ! Vous devriez avoir honte de vous vanter, à mon nez, de votre lâcheté, au lieu de vous cacher et de m'éviter avec soin. Une autre que vous trouverait quelque excuse pour colorer sa trahison.

HORTENSE : Hé ! quoi, Monsieur ? votre intérêt vous fait si tôt changer de sentiments ? Quand je disais du compliment de *Pyrrhus*, ce que vous venez de dire du mien, vous m'accusiez de ne me pas connaître aux belles choses ? Je vous parle avec franchise, comme il fait à *Hermione* ; je me suis servie de ses propres termes, et, même, j'ai employé de ses vers, pour vous faire avaler cela plus doux [1].

UNE « CRITIQUE DE PROTOCOLE » ?

Certaines remarques de Subligny peuvent sembler oiseuses : dans la « Préface », il condamne par exemple le traitement fait à Oreste et à Pylade, indigne, selon lui, des rois qu'ils sont, au nom d'une conception des bienséances qui paraît aujourd'hui bien tatillonne. On a pu à cet égard parler d'une « critique de

---

1. *Ibid.*, III, 3, p. 285-286.

protocole [1] ». Mais le fait qu'un roi comme Oreste est ravalé au rang d'ambassadeur ou qu'il tutoie Pylade, alors que Pylade le voussoie, n'est pas une simple question d'étiquette : Subligny y revient dans sa comédie, dans un dialogue qui précise la portée de cette critique. D'une part, seuls les sots comme Éraste ignorent que Pylade est roi comme Oreste et qu'ils ont donc même rang ; pour tous les autres spectateurs, le traitement de ces deux personnages nuit à la vraisemblance. D'autre part, le tutoiement non réciproque entre Oreste et Pylade ravale la relation politique et amicale entre ces deux princes à un rapport inégalitaire, celui d'un héros à son confident, destinataire traditionnel des épanchements amoureux. Pour Subligny, Racine rabaisse ainsi la dignité de la tragédie (fondée sur « l'Histoire », qu'invoque ici Alcipe) au rang des intrigues sentimentales du roman galant (la *Clélie* de Mlle de Scudéry, unique référence dont dispose Éraste) [2].

ALCIPE : [...] Mais [Hortense] t'a encore donné une attaque touchant *Oreste* qui tutoie *Pylade* ?

ÉRASTE : Oui. Je suis bien aise que tu l'aies entendu. Dit-on jamais rien de plus ridicule ?

ALCIPE : C'est avec justesse qu'elle condamne encore cet endroit. Le voudrais-tu soutenir, toi ?

ÉRASTE : Si je le voudrais soutenir ? Quoi, tu trouves mauvais que deux amis se tutoient ? Ah ! Je te trouve plaisant aussi bien qu'elle, et cela vaut de l'argent. [...] Pauvre auteur d'*Andromaque* tu as fait une lourde faute, de faire tutoyer deux amis ! [...]

ALCIPE : Tu es un étourdi. Je n'aurais rien à dire, si *Oreste* et *Pylade* se tutoyaient tous deux ; mais de voir seulement *Oreste* tutoyer *Pylade*...

ÉRASTE : Et à qui tient-il que Pylade ne le tutoie aussi ? S'il veut l'appeler Seigneur, *Oreste* n'en peut mais.

ALCIPE : Le fou ! à qui tient-il ? Il tient à l'auteur, qui a dû savoir que *Pylade* étant roi aussi bien qu'*Oreste*...

ÉRASTE : *Pylade* roi ? ah ! je te le nie.

---

1. Jean-Jacques Roubine, *Lectures de Racine*, Armand Colin, « U », 1971, p. 24.
2. Sur la *Clélie*, voir Dossier, 3.

ALCIPE : Vraiment ! il était roi de la Phocide, je te marque son royaume, et son père, à qui il avait succédé, s'appelait *Strophius* ; si tu ne le sais pas c'est que tu n'as pas lu l'Histoire.

ÉRASTE : L'Histoire ! ah ! il est là bon l'Histoire [*sic*] ! c'est bien des gens comme moi, va, qui se soucient de l'Histoire. C'est assez que j'ai lu *Clélie* avec la Vicomtesse, et que je sais l'*Andromaque* sur le bout du doigt.

ALCIPE : Voilà de nos Messieurs, qui veulent qu'une chose ne soit pas parce qu'ils n'en ont pas la connaissance. Oui *Pylade* était fils du roi de la Phocide, qui était beau-frère d'*Agamemnon* père d'*Oreste*, de sorte qu'*Oreste* et *Pylade* étaient même cousins germains.

ÉRASTE : Et que m'importe ?

ALCIPE : Que t'importe ! c'est une impertinence extrême d'introduire deux personnes tellement égales, et de faire que l'un parle à l'autre comme s'il était son écuyer, ou son valet de chambre, et que cet autre le souffre [1].

---

1. Subligny, *La Folle Querelle ou la Critique d'Andromaque*, I, 5, *op. cit.*, p. 269-270.

3

— *Caractères et passions,*
de la dramaturgie classique
à la critique moderne

La plupart des critiques adressées à *Andromaque* portent sur
la question des « caractères » des personnages et la façon dont
Racine a peint leurs passions, en particulier s'agissant d'Hermione et de Pyrrhus [1]. Or c'est précisément en cela que la critique moderne a longtemps situé l'originalité et la réussite de
Racine, en voyant dans *Andromaque* une psychologie natura-
liste de l'amour [2]. Pour prendre la mesure de la « révolution »
qu'accomplit Racine, il faut avoir à l'esprit les exigences de la
dramaturgie classique quant à l'élaboration des personnages et
à la représentation de leurs passions, et les formules que propo-
saient les tragédies de Corneille et les tragédies galantes des
années 1650-1660.

LA FABRIQUE DES « CARACTÈRES » DANS
LA TRAGÉDIE : LES CRITÈRES ARISTOTÉLICIENS

Parmi les éléments constitutifs de la tragédie, Aristote donne
à l'agencement de l'intrigue la primauté, à la fois d'un point de
vue génétique (le dramaturge doit commencer par là) et d'un
point de vue esthétique (la réussite d'une tragédie s'évalue
d'abord par l'excellence de son intrigue). L'élaboration du
« caractère » (*ethos*) des personnages ne vient qu'ensuite, et elle
est entièrement subordonnée à l'action de la tragédie. Ce que
l'on appelle aujourd'hui la « psychologie » des personnages est
ainsi déterminé par leur fonction dans la pièce : tel trait de
caractère n'est inventé que pour fournir une explication qui jus-

1. Voir Dossier, 2, ainsi que la Présentation.
2. Voir par exemple P. Bénichou, *Morales du grand siècle*, Gallimard,
1948 ; rééd. Gallimard, « Folio essais », 1998, p. 175-209.

tifie et rend ainsi vraisemblables les actions que le personnage accomplit dans l'intrigue telle que l'a préalablement organisée le dramaturge.

Mais les personnages sont également construits en fonction de deux objectifs distincts. D'une part, aux yeux d'Aristote, ils doivent être choisis de telle sorte qu'ils provoquent la terreur et la pitié du spectateur. Pour cela, le héros tragique doit être un « type d'homme qui, tout en n'étant pas un parangon de vertu ou de justice, tombe dans le malheur non pas à cause d'un vice moral ou de sa perversité, mais à cause d'une forme d'erreur, lui qui fait partie des gens jouissant d'une grande renommée et d'une heureuse fortune [1] ». C'est à cette définition du héros tragique en fonction des effets à produire que fait référence Racine dans la préface d'*Andromaque* publiée en 1668 [2].

D'autre part, il s'agit d'attribuer aux personnages des traits éthiques en respectant quatre critères, qu'Aristote a durablement fixés ; c'est cet aspect qui concerne en propre l'élaboration des « caractères ».

> Quant aux caractères, on doit viser quatre objectifs :
> – l'un d'eux, celui qui vient en premier lieu, c'est qu'ils soient vertueux. Comme on l'a dit, il y aura caractère lorsque le discours ou l'action font apparaître clairement quelle est la nature d'une décision, et il est vertueux quand cette décision est vertueuse [...] ;
> – le deuxième objectif, c'est qu'ils soient appropriés. Une femme peut être courageuse de caractère, mais il n'est pas approprié pour une femme d'être courageuse ou intelligente à la manière des hommes ;
> – le troisième objectif, c'est qu'un caractère soit ressemblant, ce qui est autre chose que de composer un caractère vertueux et approprié ;
> – le quatrième objectif, c'est qu'un caractère soit constant. Si celui qui est représenté est inconstant et que tel est le caractère qu'on lui donne, il doit néanmoins être constamment inconstant [...].
> Puisque la tragédie est une représentation de gens meilleurs que nous, on doit imiter les bons portraitistes : pour rendre l'apparence singulière de quelqu'un, ils peignent des portraits ressemblants, mais en plus beau. De la même façon, le poète qui représente des gens irascibles ou indifférents, ou avec d'autres traits de caractère de ce genre, doit aussi les faire vertueux par ailleurs, comme Homère a fait d'Achille un homme valeureux et un exemple type d'opiniâtreté [3].

1. Aristote, *Poétique*, chap. XIII, 1453a7-1453a11, *op. cit.*, p. 2775-2776.
2. Première préface, p. 13.
3. Aristote, *Poétique*, chap. XV, 1454a16-1454b14, *op. cit.*, p. 2778-2779.

Ces critères d'élaboration des « caractères » ont un objectif propre, au service des effets tragiques mais indirectement : la tragédie étant « représentation de gens meilleurs que nous », elle exige non seulement que soient mis en scène des personnages de condition supérieure à la nôtre, mais aussi qu'ils fassent l'objet d'un travail de stylisation à la fois éthique et esthétique. S'en tenir à « des portraits ressemblants » impliquerait de représenter des êtres défectueux, qui seraient « pires que nous », mieux adaptés à la comédie qu'à la tragédie et impropres à produire les effets de celle-ci. Il en va ainsi d'Achille, selon Aristote (et le raisonnement vaudrait aussi bien pour son fils, Pyrrhus) : le principal trait de caractère du personnage est la colère, mais cette passion ne doit pas entièrement le caractériser ; son artefact tragique doit être éthiquement et esthétiquement amélioré pour qu'il convienne au genre tragique. Aux yeux des théoriciens du XVIIᵉ siècle, il faut même que la passion reste encadrée et contenue par le caractère qu'il convient de donner à un héros de tragédie.

LE TRAITEMENT DES PASSIONS : LA MESNARDIÈRE, *POÉTIQUE* (1639)

La question de la représentation des passions se pose dans le cadre de ces critères aristotéliciens de l'*ethos*, et plus particulièrement par rapport au deuxième critère, celui des mœurs « appropriées » aux rois et aux princes qui font le personnel de la tragédie. Ce critère prend une importance nouvelle au XVIIᵉ siècle, du fait de l'exigence classique de bienséance. Ainsi, dans la *Poétique* qu'il publie en 1639, La Mesnardière examine le traitement qu'il convient de réserver aux passions, et en particulier à l'amour ; il faut qu'elles restent « convenables » à l'idée que le public se fait de ce que doit être la conduite d'un roi.

> Que [le poète] considère [...] par les choses que je vais dire sur quelques-unes des passions, comment il se doit conduire pour attribuer à peu près des sentiments convenables à ceux qui en sont agités, en mesurer les proportions, et enfin les accommoder selon les diverses rencontres, qui demandent qu'on les pousse par des degrés différents. Prenons l'exemple de l'amour, si ordinaire au théâtre.
> Si un prince est passionné pour quelque belle et grande dame, il lui fera voir son amour par un soin extraordinaire de se trouver en

tous les lieux où il lui pourra parler, ou se faire apercevoir d'elle. Ses respects seront si grands, qu'ils tiendront de l'idolâtrie plutôt que de la servitude. Il ne lui parlera jamais qu'avec des termes si soumis, qu'il semble que ses discours s'adressent à une déesse, plutôt qu'à une mortelle ; et il mettra même sa gloire à quitter tous les avantages que la naissance lui donne, pour paraître devant elle comme un sujet devant sa reine. Quelque certitude qu'il ait d'être bien dans son esprit, il en doutera toujours, non pas pour avoir le plaisir de s'en faire assurer par elle à toutes les heures du jour, quoique cela soit bien doux ; mais par la crainte qu'il aura de ne la mériter pas. Il n'y aura point de dépenses qui servent à faire éclater la grandeur de son amour, qu'il ne fasse avec jugement ; point de spectacles magnifiques qui lui donnent des moyens pour faire voir son adresse, où il ne la fasse admirer ; ni point de galanteries qui puissent faire connaître un esprit soigneux et gentil, dont il ne s'avise à toute heure avec toutes les précautions d'un amant discret et jaloux.

S'il lui prend une jalousie sur quelque sujet apparent, je ne trouverai point mauvais que l'excès de la colère lui fasse blâmer son amante, détester contre son malheur, et même affronter son rival à la première rencontre, si la personne qu'il aime est de telle condition qu'il puisse faire éclater son juste ressentiment sans lui apporter préjudice, et qu'il ne soit point dans un lieu où la bienséance l'oblige à ne point faire de boutade.

Mais je n'approuverai jamais qu'il traite incivilement, quelque sujet qu'il en ait, celle dont il est amoureux, qu'il lui fasse des menaces, ni qu'il l'outrage de paroles. Un semblable procédé est indigne des grandes âmes ; et quelques étranges effets que produit cette passion, elle ne doit point emporter un noble et généreux courage jusqu'à offenser son amour par des saillies violentes, lors principalement que la personne qu'il aime est d'un rang à être servie avec d'extrêmes respects [1].

Dans *Andromaque*, si Pyrrhus manifeste ponctuellement l'*ethos* héroïque codifié par La Mesnardière au nom de la bienséance, il se conduit aussi – et parfois aussitôt après – de l'exacte manière que le poéticien désapprouve comme « indigne des grandes âmes », c'est-à-dire en rupture avec l'exigence de convenance des caractères. Ainsi à la scène 4 de l'acte I, où Pyrrhus passe brutalement de « l'idolâtrie » pour Andromaque aux menaces contre elle.

---

1. La Mesnardière, *Poétique* (1639), Slatkine, 1972, p. 248-250.

LE MODÈLE CORNÉLIEN

Dans son « Discours du poème dramatique » de 1660, Corneille revient sur les quatre critères définis par Aristote pour la fabrication des caractères. Le dramaturge glose notamment la définition aristotélicienne du deuxième critère, en reprenant un passage fameux de l'*Art poétique* d'Horace qui proposait une typologie rhétorique des caractères régie par le vraisemblable : à tel âge, tel sexe et telle condition correspond tel ensemble de traits de comportements [1].

> En second lieu les mœurs doivent être convenables. [...] Le poète doit considérer l'âge, la dignité, la naissance, l'emploi et le pays de ceux qu'il introduit : il faut qu'il sache ce qu'on doit à sa patrie, à ses parents, à ses amis, à son roi ; quel est l'office d'un magistrat, ou d'un général d'armée, afin qu'il puisse y conformer ceux qu'il veut faire aimer aux spectateurs, et en éloigner ceux qu'il leur veut faire haïr ; car c'est une maxime infaillible, que pour bien réussir, il faut intéresser l'auditoire pour les premiers acteurs. Il est bon de remarquer encore que ce qu'Horace dit des mœurs de chaque âge n'est pas une règle dont on ne se puisse dispenser sans scrupule. Il fait les jeunes gens prodigues, et les vieillards avares ; le contraire arrive tous les jours sans merveille, mais il ne faut pas que l'un agisse à la manière de l'autre, bien qu'il ait quelquefois des habitudes et des passions qui conviendraient mieux à l'autre. C'est le propre d'un jeune homme d'être amoureux, et non pas d'un vieillard, cela n'empêche pas qu'un vieillard ne le devienne ; les exemples en sont assez souvent devant nos yeux ; mais il passerait pour fou, s'il voulait faire l'amour en jeune homme, et s'il prétendait se faire aimer par les bonnes qualités de sa personne. Il peut espérer qu'on l'écoutera, mais cette espérance doit être fondée sur son bien, ou sur sa qualité, et non pas sur ses mérites ; et ses prétentions ne peuvent être raisonnables, s'il ne croit avoir affaire à une âme assez intéressée, pour déférer tout à l'éclat des richesses, ou à l'ambition du rang [2].

Corneille indique ainsi la formule qui est la sienne dans la fabrication des caractères. Au nom de la convenance, ses héros sont bons fils, bons sujets, bons généraux ou bons rois ; l'*ethos* que l'on attend d'un personnage du fait de sa condition contient ainsi son devoir, auquel s'opposent ses passions

---

1. Horace, *Art poétique*, v. 156-178, trad. François Richard, dans *Œuvres*, GF-Flammarion, 1967, p. 263-264.
2. Corneille, *Trois Discours sur le poème dramatique*, *op. cit.*, p. 81-82.

– celles-ci finissant par céder devant les exigences de cet *ethos* « convenable », non sans souffrances et déchirements qui permettent de produire le pathétique [1]. Cette interprétation du critère de convenance en faveur de « héros parfaits » est en effet subordonnée à la sympathie qu'il s'agit de susciter chez les spectateurs pour le « premier acteur » ; à l'inverse, un personnage dont la conduite n'est pas conforme à sa condition attire sur lui la haine du public.

Le commentaire que donne ensuite Corneille du troisième critère aristotélicien signale toutefois la possibilité d'un conflit avec le précédent :

> La qualité de semblables, qu'Aristote demande aux mœurs, regarde particulièrement les personnes que l'histoire ou la fable nous fait connaître, et qu'il faut toujours peindre telles que nous les y trouvons. C'est ce que veut dire Horace par ce vers :
>
> *Sit Medea ferox indomptaque* [2].
>
> Qui peindrait Ulysse en grand guerrier, ou Achille en grand discoureur, ou Médée en femme fort soumise, s'exposerait à la risée publique. Ainsi ces deux qualités, dont quelques interprètes ont beaucoup de peine à trouver la différence qu'Aristote veut qui soit entre elles sans la désigner, s'accorderont aisément, pourvu qu'on les sépare, et qu'on donne celle de convenables aux personnes imaginées qui n'ont jamais eu d'être que dans l'esprit du poète, en réservant l'autre pour celles qui sont connues par l'histoire ou par la fable, comme je le viens de dire [3].

S'agissant de personnages historiques ou mythologiques qui sont déjà dotés de traits de caractère, la vraisemblance particulière de l'histoire risque ainsi de s'opposer à la vraisemblance éthique générale. Corneille propose de réserver le critère de « convenance » aux sujets inventés et celui de « ressemblance » aux sujets historiques ; mais, de fait, ses tragédies historiques privilégient la convenance à la ressemblance des caractères. Racine fera exactement l'inverse : il refuse dans sa première

---

1. Georges Forestier a ainsi pu montrer que Corneille avait érigé cette exigence de « convenance » du « caractère » en enjeu dramatique de ses tragédies (*Essai de génétique théâtrale. Corneille à l'œuvre*, Klincksieck, 1996 ; rééd. Droz, 2004, p. 156-163).
2. « Que Médée soit farouche et inflexible » (Horace, *Art poétique*, v. 123, *op. cit.*, p. 262).
3. Corneille, *Trois Discours sur le poème dramatique, op. cit.*, p. 82.

préface « qu'on réformât tous les héros de l'Antiquité pour en faire des héros parfaits » et s'autorise du critère de ressemblance [1] pour camper des personnages dont la violence des passions est un trait de caractère légué par l'Antiquité. Mais Racine s'autorise aussi de la définition du héros tragique « ni tout à fait bon, ni tout à fait méchant [2] » élaborée en fonction des effets à produire : il superpose deux perspectives indépendantes l'une de l'autre chez Aristote. Le propos de Corneille avait préparé cette confusion en privilégiant quant à lui le critère de convenance afin de produire la « sympathie » du spectateur ; Racine retourne ainsi contre Corneille sa propre argumentation pour élaborer une formule inédite [3].

LE MODÈLE DE L'AMANT PARFAIT : HONORÉ D'URFÉ, *L'ASTRÉE*

Les héros des romans de la première moitié du siècle ont fourni à d'autres dramaturges le modèle d'une formule différente de celle de Corneille, et qui rencontrait l'exigence de la convenance, mais comprise autrement : les caractères des tragédies de Quinault ou de Thomas Corneille sont convenables au goût galant du public des années 1650-1660 plus qu'à la typologie des caractères héritée d'Aristote et d'Horace à laquelle se référait Corneille, et ils n'ont plus guère de ressemblance avec les héros antiques. La passion amoureuse, réduite à la dévotion tendre pour l'objet aimé, devient l'élément central des caractères, sans dès lors la possibilité de conflit avec les traits éthiques traditionnellement attendus d'un prince de tragédie.

Parmi ces héros de romans pris pour modèles figure en bonne place le personnage principal de *L'Astrée* d'Honoré d'Urfé, le berger Céladon amoureux de la bergère Astrée, que Racine évoque dans sa première préface pour en distinguer son Pyrrhus et ainsi refuser l'assimilation de sa pièce aux tragédies

---

1. Voir Première préface, p. 15. Racine s'y appuie sur la reformulation de ce critère qu'a donnée Horace dans l'*Art poétique*.
2. Première préface, p. 15.
3. Sur l'ensemble de ces questions, voir G. Forestier, *La Tragédie française. Passions tragiques et règles classiques*, Armand Colin, « U », 2010, p. 233-272.

galantes de ses rivaux. Aux premières pages du roman, Astrée croit à tort que son amant lui est infidèle et le bannit de sa présence. La soumission et le sacrifice de soi dont fait preuve Céladon à l'égard de celle qu'il aime rejoint « l'idolâtrie » que La Mesnardière attend d'un héros de tragédie amoureux.

Quel devint alors ce fidèle berger ? celui qui a bien aimé le peut juger, si jamais tel reproche lui a été fait injustement. Il tombe à ses genoux, pâle et transi, plus que n'est pas [1] une personne morte : « Est-ce, belle bergère, lui dit-il, pour m'éprouver, ou pour me désespérer ? – Ce n'est, dit-elle, ni pour l'un ni pour l'autre, mais pour la vérité, n'étant plus de besoin d'essayer [2] une chose si connue. – Ah ! dit le berger, pourquoi n'ai-je ôté ce jour malheureux de ma vie ? – Il eût été à propos pour tous deux, dit-elle, que non point un jour, mais tous les jours que je t'ai vu, eussent été ôtés de la tienne et de la mienne. Il est vrai que tes actions ont fait que je me trouve déchargée d'une chose, qui, ayant effet, m'eût déplu davantage que ton infidélité. Que si le ressouvenir de ce qui s'est passé entre nous (que je désire toutefois être effacé) m'a encore laissé quelque pouvoir, va-t'en, déloyal, et garde-toi bien de te faire jamais voir à moi que je ne te le commande. »

Céladon voulut répliquer, mais Amour, qui oit [3] si clairement, à ce coup lui boucha pour son malheur les oreilles ; et parce qu'elle s'en voulait aller, il fut contraint de la retenir par sa robe, lui disant : « Je ne vous retiens pas pour vous demander pardon de l'erreur qui m'est inconnue, mais seulement pour vous faire voir quelle est la fin que j'élis pour ôter du monde celui que vous faites paraître d'avoir tant en horreur. » Mais elle, que la colère transportait, sans tourner seulement les yeux vers lui, se débattit de telle furie qu'elle échappa, et ne lui laissa autre chose qu'un ruban, sur lequel par hasard il avait mis la main. Elle le soulait porter [4] au-devant de sa robe pour agencer son collet, et y attachait quelquefois des fleurs, quand la saison le lui permettait ; à ce coup elle y avait une bague que son père lui avait donnée. Le triste berger, la voyant partir avec tant de colère, demeura quelque temps immobile, sans presque savoir ce qu'il tenait en la main, quoiqu'il eût les yeux dessus. Enfin, avec un grand soupir, revenant de cette pensée, et reconnaissant ce ruban : « Sois témoin, dit-il, ô cher cordon, que plutôt que de rompre un seul des nœuds de mon affection, j'ai mieux aimé perdre la vie, afin que, quand je serai mort, et que cette cruelle te verra, tu l'assures

1. Plus que n'est.
2. Mettre à l'épreuve, vérifier.
3. Entend.
4. Elle avait coutume de le porter.

qu'il n'y a rien au monde qui puisse être plus aimé que je l'aime, ni amant plus mal reconnu que je suis. » Et lors, se l'attachant au bras, et baisant la bague : « Et toi, dit-il, symbole d'une entière et parfaite amitié, sois content de ne me point éloigner à ma mort, afin que ce gage pour le moins me demeure de celle qui m'avait tant promis d'affection. » À peine eut-il fini ces mots que, tournant les yeux du côté d'Astrée, il se jeta les bras croisés dans la rivière[1].

Les critiques d'*Andromaque* font également référence à d'autres héros de romans. Boileau voyait ainsi dans Pyrrhus « un héros à la Scudéry[2] », et un personnage de Subligny affirmait que « Pyrrhus avait lu la *Clélie* », roman galant de la même Madeleine de Scudéry (1654-1660). Dans l'extrait suivant de *Clélie*, le héros, Arnonce, revient à Carthage après plusieurs années de voyages, au cours desquelles il a démontré son courage ; il retrouve Clélie, avec qui il a été élevé, et découvre que l'enfant qu'il avait quittée est devenue une jeune femme magnifique, dont il tombe aussitôt amoureux. Clélie l'interroge sur ce qu'il a vu au cours de son périple, particulièrement à Rome, d'où la famille de la jeune femme a été autrefois exilée. Le dialogue illustre l'excellence du héros, à la fois vaillant sur le champ de bataille et amoureux parfait, et mobilise un système de métaphores typiquement galantes qui associent conquête militaire et conquêtes amoureuses – métaphores que Pyrrhus réemploie dans *Andromaque*.

« Je me souviens présentement si peu de tout ce que j'ai vu pendant mon voyage, répondit Arnonce, que je ne saurais vous en rendre compte ; car enfin [...] vous êtes la plus belle chose que j'ai jamais vue : et si Rome savait quelle est votre beauté, je suis persuadé qu'elle ferait une plus sanglante guerre à Carthage, pour vous en retirer, que celle que la Grèce fit autrefois à Troie, pour reconquérir cette belle princesse dont le nom durera autant que le monde ; du moins sais-je bien, ajouta-t-il, que la plus fameuse beauté de Rome, qui est celle d'une personne de grande qualité qui s'appelle Lucrèce, n'approche pas la vôtre [...]. »

Comme Arnonce disait cela, on vit entrer dans le vaisseau où il était, la dixième partie des esclaves que le prince de Carthage avait faits [...], Clélie entendit que le prince de Carthage disait que ces esclaves étaient plus ceux d'Arnonce que les siens ; de sorte qu'elle

---

1. Honoré d'Urfé, *L'Astrée*, éd. Jean Lafond, Gallimard, « Folio », 1984, p. 40-41.
2. Voir Dossier, 6.

se mit à lui en faire une guerre obligeante, en lui demandant un compte exact de ses conquêtes. « C'est plutôt à moi, répliqua-t-il galamment, à vous demander compte des vôtres, qui sont assurément plus illustres que les miennes ; car je ne doute point, que si je voyais tous les esclaves que vous avez faits depuis mon départ, je ne les visse en plus grand nombre que ceux que le prince de Carthage m'attribue ; du moins sais-je bien que vous pourriez vaincre le vainqueur des autres, si vous l'aviez entrepris[1]. »

À l'inverse de Boileau et de Subligny, Condé, grand admirateur de *Clélie*, aurait jugé Pyrrhus « trop violent et trop emporté[2] ». La discussion suivante, caractéristique des nombreux débats sur les sentiments amoureux qui ponctuent le roman, permet de comprendre les valeurs au nom desquelles une partie du public d'*Andromaque* a pu en effet être choqué par le « caractère » de Pyrrhus.

> Puisque vous me le permettez, Madame, dit alors Arnonce, je dirais hardiment que la tendresse est une qualité encore plus nécessaire à l'amour, qu'à l'amitié. Car il est certain que cette affection, qui naît presque toujours avec l'aide de la raison, et qui se laisse conduire et gouverner par elle, pourrait quelquefois faire agir ceux dans le cœur de qui elle est, comme s'ils avaient de la tendresse, quoique naturellement ils n'en eussent pas ; mais pour l'amour, Madame, qui est presque toujours incompatible avec la raison, et qui du moins ne se peut jamais lui être assujettie, elle a absolument besoin de tendresse pour l'empêcher d'être brutale, grossière et inconsidérée. En effet, une amour sans tendresse n'a que des désirs impétueux, qui n'ont ni bornes, ni retenue ; et l'amant qui porte une semblable passion dans l'âme, ne considère que sa propre satisfaction, sans considérer la gloire de la personne aimée ; car un des principaux effets de la véritable tendresse, c'est qu'elle fait qu'on pense beaucoup plus à l'intérêt de ce qu'on aime, qu'au sien propre. Aussi un amant qui n'en a point, veut tout ce qui lui peut plaire sans réserves ; et il le veut même d'une façon si brusque, et si incivile, qu'il demande les plus grandes grâces, comme si on les lui devait donner comme un tribut. En effet ces amants fiers qui sont ennemis de la tendresse, et qui en médisent, sont ordinairement insolents, incivils, pleins de vanité, aisés à fâcher, difficiles à apaiser, indiscrets quand on les favorise, et insupportables quand on les maltraite [...].

1. Madeleine de Scudéry, *Clélie, histoire romaine*, éd. Delphine Denis, Gallimard, « Folio », 2006, p. 57-59.
2. D'après Louis Racine, *Mémoires contenant quelques particularités sur la vie et les ouvrages de Jean Racine* (1747), dans Racine, *Œuvres complètes, op. cit.*, p. 1134.

Leur jalousie même est plus brutale que celle des amants qui ont le cœur tendre ; car ils passent bien souvent de la haine qu'ils ont pour leurs rivaux, à haïr même leur maîtresse. Où au contraire, les amants dont l'amour est mêlée de tendresse, peuvent quelquefois respecter si fort leurs maîtresses, qu'ils s'empêchent de nuire à leurs rivaux en certaines occasions, parce qu'ils ne le pourraient faire sans les irriter [1].

LA CRITIQUE DU HÉROS GALANT : SAINT-ÉVREMOND, *DISSERTATION SUR LE GRAND ALEXANDRE* (1668)

Après l'échec de sa première tragédie, *La Thébaïde* (1664), c'est précisément ce modèle de héros galant que Racine a adopté dans sa tragédie suivante, *Alexandre le Grand* (1666), qui lui a apporté son premier succès. Or cette pièce a suscité une vive critique de Saint-Évremond, d'abord dans plusieurs lettres en 1666, puis dans une *Dissertation sur le Grand Alexandre* publiée en 1668, mais dont un premier état a circulé dès 1667. Saint-Évremond reproche à Racine de ne pas avoir « le goût de l'Antiquité [2] » : donner à Alexandre le Grand le caractère d'un amant passionné occupé avant tout de son amour, c'est abandonner le critère de ressemblance au héros antique, et préférer la convenance aux seules mœurs galantes à la mode plutôt qu'à celles attendues d'un grand chef militaire.

Un faiseur de romans peut former ses héros à sa fantaisie ; il importe peu aussi de donner la véritable idée d'un prince obscur, dont la réputation n'est pas venue jusques à nous ; mais ces grands personnages de l'Antiquité, si célèbres dans leur siècle, et plus connus parmi nous que les vivants même, les Alexandres, les Scipions, les Césars ne doivent jamais perdre leur caractère entre nos mains. Car le spectateur le moins délicat sent qu'on le blesse, quand on leur donne des défauts qu'ils n'avaient pas, ou qu'on leur ôte des vertus qui avaient fait sur son esprit une impression agréable. Les vertus établies une fois chez nous, intéressent l'amour-propre comme notre vrai mérite, et l'on ne saurait y apporter la moindre altération,

---

1. Madeleine de Scudéry, *Clélie, histoire romaine, op. cit.*, p. 76-77.
2. Saint-Évremond, *Dissertation sur le Grand Alexandre* (1668), dans *Œuvres en prose*, éd. René Ternois, Didier, 1965, p. 84.

sans nous faire sentir ce changement avec violence. Surtout, il ne faut pas les défigurer dans la guerre, pour les rendre plus illustres dans l'amour. Nous pouvons leur donner des maîtresses de notre invention, nous pouvons mêler de la passion avec leur gloire : mais gardons-nous de faire un Antoine[1] d'un Alexandre, et ne ruinons pas les héros établis par tant de siècles, en faveur de l'amant que nous formons à notre seule fantaisie.

Rejeter l'amour de nos tragédies comme indigne des héros, c'est ôter ce qui leur reste de plus humain, ce qui nous fait tenir encore à eux par un secret rapport, et je ne sais quelle liaison qui demeure encore entre leurs âmes et les nôtres ; mais pour les vouloir ramener à nous par ce sentiment commun, ne les faisons pas descendre au-dessous d'eux, ne ruinons pas ce qu'ils ont au-dessus des hommes. Avec cette retenue, j'avouerai qu'il n'y a point de sujets, où une passion générale, que la nature a mêlée en tout, ne puisse entrer sans peine et sans violence. D'ailleurs, comme les femmes sont aussi nécessaires pour la représentation comme les hommes, il est à propos de les faire parler autant qu'on peut de ce qui leur est le plus naturel, et dont elles parlent beaucoup mieux que d'aucune autre chose. Ôtez aux unes l'expression des sentiments amoureux, et aux autres l'entretien secret où les fait entrer la confidence, vous les réduisez ordinairement à des conversations fort ennuyeuses. Quasi tous leurs mouvements, comme leurs discours, doivent être des effets de leur passion ; leurs joies, leurs tristesses, leurs craintes, leurs désirs doivent sentir un peu d'amour pour plaire. [...]

Voilà tout ce qu'on peut raisonnablement accorder à l'amour sur nos Théâtres : mais qu'on se contente de cet avantage, où la régularité même pourrait être intéressée, et que ses plus grands partisans ne croient pas que le premier but de la tragédie, soit d'exciter ses tendresses dans nos cœurs. Aux sujets véritablement héroïques, la grandeur de l'âme doit être ménagée devant toutes choses. Ce qui serait doux et tendre dans la maîtresse d'un homme ordinaire, est souvent faible et honteux dans l'amante d'un héros. Elle peut s'entretenir quand elle est seule, des combats intérieurs qu'elle sent en elle-même, elle peut soupirer en secret de son tourment, confier à une chère et sûre confidente ses craintes et ses douleurs, mais soutenue de sa gloire et fortifiée par sa raison, elle doit toujours demeurer maîtresse de ses sentiments passionnés, et animer son amant aux grandes choses par sa résolution, au lieu de l'en détourner par sa faiblesse.

---

1. Marc Antoine, figure importante des guerres civiles romaines (Ier siècle av. J.-C.), passait alors pour celui qu'une série de mauvais choix politiques et militaires faits par passion pour Cléopâtre, reine d'Égypte, conduisit à sa perte.

En effet, c'est un spectacle indigne de voir le courage d'un héros amolli par des larmes et des soupirs ; et s'il méprise fièrement les pleurs d'une belle personne qui l'aime, il fait moins paraître la fermeté de son cœur, que la dureté de son âme.

Il est très probable que Racine ait pris connaissance de la *Dissertation* dès 1667 : son travail sur les modèles antiques dans *Andromaque* et sa revendication de fidélité aux caractères de ses héros trouveraient leur source dans cette polémique. Mais en maintenant ses remarques de 1666 dans cette *Dissertation sur le Grand Alexandre* publiée après la création d'*Andromaque*, Saint-Évremond semble indiquer que la dernière tragédie de Racine n'échappe pas non plus entièrement à sa critique.

La *Dissertation* a attiré à Saint-Évremond une réponse élogieuse de Corneille, qui y réaffirme les choix formulés dans ses *Discours* quant à la nature des passions dignes de faire le sujet d'une tragédie et quant à leur place dans le traitement des caractères. Ce faisant, Corneille semble ignorer l'originalité dont a fait preuve Racine sur ces deux aspects dans *Andromaque*, et le réduit à un de ces « doucereux » auteurs de tragédies galantes.

Vous me consolez glorieusement de la délicatesse de notre siècle, quand vous daignez m'attribuer le bon goût de l'Antiquité [...]. Je vous avoue après cela [vos louanges], que je pense avoir quelque droit de traiter de ridicules ces vains trophées qu'on établit sur les débris imaginaires des miens, et de regarder avec pitié ces opiniâtres entêtements qu'on avait pour les anciens héros refondus à notre mode [...]. Que vous flattez agréablement mes sentiments, quand vous confirmez ce que j'avais avancé touchant la part que l'amour doit avoir dans les belles tragédies, et la fidélité avec laquelle nous devons conserver à ces vieux illustres ces caractères de leur temps, de leur nation, et de leur humeur ! J'ai cru jusqu'ici que l'amour était une passion trop chargée de faiblesse pour être la dominante dans une pièce héroïque ; j'aime qu'elle y serve d'ornement et non pas de corps, et que les grandes âmes ne la laissent agir qu'autant qu'elle est compatible avec de plus nobles impressions. Nos doucereux et nos enjoués sont de contraire avis [...][1].

1. Corneille, *Œuvres complètes*, t. III, éd. Georges Couton, Gallimard, « Bibliothèque de la Pléiade », 1987, p. 725-726.

Une psychologie racinienne de la passion ?
Auerbach, « Racine et les passions » (1926)

Le traitement des passions auquel s'est livré Racine, parce qu'il proposait une articulation inédite des critères aristotéliciens du caractère, a ainsi suscité de nombreuses critiques au XVIIe siècle. La critique moderne l'a au contraire valorisé, en y voyant une exploration des tréfonds de la psychologie humaine.

Erich Auerbach considérait déjà, dans un article de 1926 intitulé « Racine et les passions [1] », que le théâtre racinien témoignait d'un « intérêt nouveau et particulier pour le contenu de la personnalité humaine [...] qui atteint [...] une outrance presque paradoxale et sans issue ». Telle est l'une des premières formulations de ce qui serait un tragique proprement racinien : la fatalité n'aurait plus pour origine une puissance transcendante extérieure, mais l'intériorité même du sujet. Racine, explorateur de la réalité de la *psyché* humaine, aurait ainsi le premier « trouvé les sources de la dynamique individuelle dans la profondeur des instincts ». Mais cette attention à l'individualité psychologique s'accompagne paradoxalement d'une abstraction complète de l'existence matérielle et quotidienne des personnages, « purs réceptacles de leurs passions et instincts vitaux devenus autonomes ».

L'originalité de la démonstration d'Auerbach est de porter sur le personnage d'Andromaque, en s'efforçant ainsi de concilier l'interprétation psychologique avec le statut de personnage principal, quand la critique moderne privilégie Hermione et Pyrrhus [2].

> *Andromaque* n'est pas un chant céleste, mais le combat sauvage des instincts ; son héroïne n'est pas une noble âme comme l'Iphigénie de Goethe, mais la fille de Priam et la veuve d'Hector, prisonnière de l'homme dont le père a causé tout son malheur, et qui y a lui-même contribué ; avec l'énergie d'un cœur fort, avec ce conservatisme des instincts qui caractérise les femmes, elle se cramponne à la

---

1. Erich Auerbach, « Racine et les passions » (1926), dans *Le Culte des passions. Essais sur le XVIIe siècle français*, trad. Diane Meur, Macula, « Argo », 1998, p. 35-49. Les citations qui suivent sont extraites de cet article.
2. Voir notre évocation de l'interprétation de Paul Bénichou dans la Présentation.

dignité et à l'intégrité de son passé, tandis que de nouveaux instincts s'éveillent déjà en elle (ce n'est que sur le conseil d'amis que Racine a supprimé la scène où elle révèle son amour devant le cadavre de Pyrrhus) ; sa volonté de mourir et les douces paroles par lesquelles elle l'annonce ne relèvent pas d'une « grandeur d'âme évangélique », mais d'une sage persévérance dans sa farouche décision ; et les dernières nouvelles que nous avons d'elle prouvent qu'après la mort violente qui a imprévisiblement frappé Pyrrhus à ses côtés, sa résolution de mourir s'est aussitôt envolée et qu'elle-même, ni abattue ni ébranlée, va tirer parti de ces heureuses circonstances. [...] Les flots de larmes qu'ont fait verser les héros de Racine dans les théâtres français étaient inspirés par la passion, non par le renoncement[1].

Auerbach met ainsi au jour le conflit de deux « instincts » contradictoires dans le personnage d'Andromaque. Or cette tension était imposée par le sujet tel que Racine a dû le réaménager. Racine ayant supprimé le personnage d'Hélénus – qui est dans l'*Énéide* le véritable successeur de Pyrrhus –, il fallait, pour qu'Andromaque devienne reine, qu'elle consentît à épouser son persécuteur[2]. Non sans d'inévitables ruptures dans la « constance » de son caractère, jusque-là inexorablement fidèle à la mémoire d'Hector : ainsi de la confiance qu'accorde Andromaque à Pyrrhus à la scène 1 de l'acte IV, et de la tirade de la première version de la scène 3 de l'acte V sur laquelle s'appuie Auerbach, où elle se fait la vengeresse fidèle de son nouvel époux assassiné, qui supplante Hector dans sa mémoire[3].

C'est sur fond de cette exigence de cohérence que Subligny considérait « la résolution qu'[Andromaque] prend de se tuer » comme « la faute de jugement » d'une « étourdie », brutalement « trop crédule » en son persécuteur[4]. Ce qui était ainsi une faute pour les lecteurs du XVIIe siècle est devenu la matière d'une interprétation psychologique à l'éloge de Racine. Notons que Racine lui-même aurait été très surpris par le propos d'Auerbach : l'interprète valorise, au nom de la psychologie, une tirade d'Andromaque que le poète tragique a entièrement

---

1. Erich Auerbach, « Racine et les passions » (1926), dans *Le Culte des passions. Essais sur le XVIIe siècle français*, trad. Diane Meur, © Macula, « Argo », 1998, p. 43.
2. Voir Dossier, 1.
3. Voir la première version de cette scène, p. 105.
4. Voir Dossier, 2.

supprimée dès la deuxième édition de sa pièce, pour des raisons dramaturgiques, afin de conserver au maximum la constance du caractère de son personnage. La « profondeur des instincts » n'est pas ce qui intéresse Racine, et la « psychologie » qu'identifie la critique moderne dans *Andromaque* est en réalité bien peu racinienne.

LA FOLIE D'ORESTE OU LA VÉRITÉ CLASSIQUE DE LA PASSION : FOUCAULT, *HISTOIRE DE LA FOLIE À L'ÂGE CLASSIQUE* (1961)

Dans une autre perspective, Michel Foucault, dans son *Histoire de la folie à l'âge classique* (1961), voit dans l'ultime scène d'*Andromaque* « la dernière des grandes incarnations tragiques de la folie », où « s'énonce la vérité classique » de celle-ci. Le philosophe reconnaît dans la fureur d'Oreste les caractéristiques de la pensée de la folie au XVIIᵉ siècle qu'il a établies : « erreur, fantasme, illusion, langage vain et privé de contenu [1] » ; avant de la ramener à ce qui est vu alors comme sa condition de possibilité, la passion, en particulier amoureuse. La tradition antique jugeait, dans une perspective morale, que la passion pouvait avoir pour châtiment la folie ; la pensée classique inverse ce rapport : « la possibilité de la folie est offerte dans le fait même de la passion [2] ». D'où la place secondaire qu'occupent les Érinyes vengeresses dans le délire d'Oreste, supplantées par Hermione, objet de sa passion : la folie n'est plus une punition de la passion, elle en est la vérité.

Dans la clarté impitoyable qui dénonce le meurtre de Pyrrhus et la trahison d'Hermione, dans ce petit jour où tout éclate enfin dans une vérité si jeune et si vieille à la fois, un premier cercle d'ombres : un nuage sombre dans lequel, tout autour d'Oreste, le monde se met à reculer ; la vérité s'esquive dans ce paradoxal crépuscule, dans ce soir matinal où la cruauté du vrai va se métamorphoser dans la rage des fantasmes :

Mais quelle épaisse nuit, tout à coup, m'environne ? [v. 1625]

---

1. Michel Foucault, *Histoire de la folie à l'âge classique*, Gallimard, « Tel », p. 227.
2. *Ibid.*, p. 292.

C'est la nuit vide de l'*erreur*, mais sur fond de cette première obscurité, un éclat, un faux éclat va naître : celui des images. Le cauchemar s'élève, non dans la claire lumière du matin, mais dans un scintillement sombre : lumière de l'orage et du meurtre.

> Dieux ! Quels ruisseaux de sang coulent autour de moi !
> [v. 1628]

Et voici maintenant la dynastie du *rêve*. Dans cette nuit les fantasmes prennent leur liberté ; les Érinyes apparaissent et s'imposent. Ce qui les rend précaires, les rend aussi souveraines ; elles triomphent aisément dans la solitude où elles se succèdent ; rien ne les récuse ; image et langage s'entrecroisent, dans des apostrophes qui sont des invocations, présences affirmées et repoussées, sollicitées et redoutées. Mais toutes ces images convergent vers la nuit, vers une seconde nuit qui est celle du châtiment, de la vengeance éternelle, de la mort à l'intérieur même de la mort. Les Érinyes sont rappelées à cette ombre qui est la leur – leur lieu de naissance et de vérité, c'est-à-dire leur propre néant.

> Venez-vous m'enlever dans l'éternelle nuit ? [v. 1640]

C'est le moment où il se découvre que les images de la folie ne sont que rêves et erreurs, et si le malheureux, qui est aveuglé par elles, les appelle, c'est pour mieux disparaître avec elles dans l'anéantissement auquel elles sont destinées.

Une seconde fois donc on traverse un cercle de nuit. Mais on n'est pas ramené pour cela à la réalité claire du monde. On accède, par-delà ce qui se manifeste de la folie, au *délire*, à cette structure essentielle et constituante qui avait secrètement soutenu la folie dès ses premiers moments. Ce délire a un nom, c'est Hermione ; Hermione qui réapparaît non plus comme vision hallucinée, mais vérité ultime de la folie. Il est significatif qu'Hermione intervienne à ce moment-ci des fureurs : non pas parmi les Euménides, ni devant elles pour les guider ; mais derrière elles, et séparée d'elles par la nuit où elles ont entraîné Oreste, et où elles-mêmes sont maintenant dissipées. C'est qu'Hermione intervient comme figure constituante du délire, comme la vérité qui régnait secrètement depuis le début, et dont les Euménides n'étaient au fond que les servantes. En ceci, nous sommes à l'opposé de la tragédie grecque, où les Érinyes étaient destin final et vérité qui, depuis la nuit des temps, avaient guetté le héros ; sa passion n'était que leur instrument. Ici les Euménides sont seulement des figures au service du délire, vérité première et dernière, qui se profilait déjà dans la passion, et s'affirmait maintenant dans sa nudité. Cette vérité règne seule écartant les images :

> Mais non, retirez-vous, laissez faire Hermione [v. 1642]

Hermione, qui a toujours été présente depuis le début, Hermione qui a de tout temps déchiré Oreste, lacérant morceau par morceau sa raison, Hermione pour qui il est devenu « parricide, assassin, sacrilège », se découvre enfin comme vérité et achèvement de sa folie. Et le délire, dans sa rigueur, n'a plus autre chose à dire que d'énoncer comme décision imminente une vérité depuis longtemps quotidienne et dérisoire.

Et je lui porte enfin mon cœur à dévorer. [v. 1644]

Il y a des jours et des années qu'Oreste avait fait cette offrande sauvage. Mais ce principe de sa folie, il l'énonce maintenant comme terme. Car la folie ne peut pas aller plus loin. Ayant dit sa vérité dans son délire essentiel, elle ne peut plus que sombrer dans une troisième nuit, celle dont on ne revient pas, celle de l'incessante dévoration. La déraison ne peut apparaître qu'un instant, au moment où le langage entre enfin dans le silence, où le délire lui-même se tait, où le cœur enfin est dévoré.

Dans les tragédies du début du XVIIᵉ siècle, la folie, aussi, dénouait le drame ; mais elle le dénouait en libérant la vérité ; elle s'ouvrait encore sur du langage, sur un langage renouvelé, celui de l'explication et du réel reconquis. Elle ne pouvait être tout au plus que l'avant-dernier moment de la tragédie. Non le dernier, comme dans *Andromaque*, où aucune vérité n'est dite, que celle, dans le Délire, d'une passion qui a trouvé avec la folie la perfection de son achèvement [1].

Foucault fait ainsi de la substitution de la passion amoureuse de l'Oreste moderne à la passion vengeresse de l'Oreste antique un emblème de la pensée du XVIIᵉ siècle sur la folie. Or cette transformation peut être ramenée à l'invention, dans *Andromaque*, d'une formule dramatique propre à Racine : alors que Corneille exigeait de la tragédie qu'elle mette en scène un « péril de vie ou d'État » et non « un[e] simple [intrigue] d'amour [2] », Racine élabore un type d'intrigue nouveau, où la passion amoureuse devient elle-même la cause du « péril de vie ou d'État », péril qui se manifeste pour Oreste par ce délire final, par lequel son caractère finit de rejoindre l'image du héros furieux léguée par l'Antiquité (critère de ressemblance). La relation entre la déraison d'Oreste et la passion amoureuse est

---

1. Michel Foucault, *Histoire de la folie à l'âge classique*, © Gallimard, « Tel », p. 315-317.
2. Corneille, *Trois Discours sur le poème dramatique, op. cit.*, p. 72 ; voir Présentation.

peut-être moins un emblème de la pensée classique de la folie qu'une conséquence de l'inscription des choix dramatiques propres à Racine dans les règles, héritées d'Aristote, de la construction des caractères.

4

—— *Passions et tragédie :*
le plaisir des larmes

Le genre tragique ne se contente pas de représenter des passions sur la scène : il vise à en produire également dans la salle. Aristote assignait à la tragédie des effets spécifiques : la terreur et la pitié, qui, parce qu'elles étaient provoquées par une représentation fictionnelle, purgeaient le spectateur de ce genre d'émotions. Telle est du moins la principale interprétation de la fameuse *catharsis* aristotélicienne au XVIIᵉ siècle.

LA PITIÉ SANS LA TERREUR

Lorsque Racine évoque dans les différents péritextes d'*Andromaque* les effets de sa tragédie, il ne parle que des « larmes » qu'elle a suscitées – ainsi, dans la dédicace, il mentionne celles qu'a versées Henriette d'Angleterre à la lecture de la pièce, en opposant cette réaction à « la dureté de ceux qui ne voudraient pas s'en laisser *toucher*[1] ». Dans la préface de 1668, Racine invoque Aristote quant au choix d'un héros « ni tout à fait bon, ni tout à fait méchant », type de héros que le philosophe grec déduisait entièrement des effets de frayeur et de pitié à produire chez le spectateur[2] ; mais il ne retient que la pitié et ne mentionne nullement la terreur : « [Aristote] ne veut pas qu'ils [les personnages tragiques] soient extrêmement bons, parce que la punition d'un homme de bien exciterait plutôt l'indignation que la pitié du spectateur ; ni qu'ils soient méchants avec excès, parce qu'on n'a point *pitié* d'un scélérat. Il faut donc […] qu'ils tombent dans le malheur par quelque faute qui les fasse *plaindre* sans les faire détester[3]. »

1. Voir « À Madame », p. 11.
2. Aristote, *Poétique*, chap. XIII, 1452b28-1453a22, *op. cit.*, p. 2775-2776.
3. Première préface, p. 15.

En réduisant les effets tragiques traditionnels à la seule pitié, Racine suit la plupart des théoriciens de la tragédie depuis les années 1630 [1]. La Mesnardière écrivait ainsi :

> Encore que la tragédie doive exciter la compassion et produire la terreur, comme ses effets légitimes, le poète doit tâcher pourtant que la terreur soit beaucoup moindre que les sentiments de pitié. Ce n'est pas que la terreur ne soit utile sur la scène. Mais comme elle est désagréable, et qu'elle ne doit régner que dans les sujets horribles qui exposent le châtiment des parricides, des incestes et des crimes de cette espèce, il vaut mieux que la compassion, qui est un sentiment plus doux, et qui naît des calamités des personnes imparfaites, fasse impression sur les esprits, et que même elle domine jusqu'à tirer des larmes.
>
> [...] étant certain que le poète doit tendre principalement à émouvoir la pitié, il faut qu'il écrive des choses qui touchent extrêmement, et que l'acteur les anime par une expression réelle de gémissements et de pleurs dans les endroits où ils sont propres, s'il veut que le spectateur le récompense par des larmes, qui sont le plus noble salaire que demande la tragédie [2].

La terreur est séparée de la pitié et réservée à certains sujets « horribles » parce qu'elle est une émotion « désagréable », impropre à susciter quelque plaisir que ce soit. La Mesnardière enregistre ainsi l'évolution du goût : le public du XVIIᵉ siècle supporterait moins bien les horreurs exposées dans les tragédies antiques.

Près de quarante ans plus tard, les vers fameux de l'*Art poétique* (1674) de Boileau entérinent cette promotion des seules larmes :

> Ainsi, pour nous charmer, la tragédie en pleurs
> D'Œdipe tout sanglant fit parler les douleurs,
> D'Oreste parricide exprima les alarmes,
> Et pour nous divertir nous arracha des larmes [3].

---

1. Sur les larmes dans la tragédie classique, voir notamment : Jean-Jacques Roubine, « La stratégie des larmes au XVIIᵉ siècle », *Littérature*, nº 9, février 1973, p. 56-73 ; Christian Biet, « La passion des larmes », *Littératures classiques*, nº 26, 1996, p. 167-183 ; Emmanuelle Hénin, « Le plaisir des larmes ou l'invention d'une *catharsis* galante », *Littératures classiques*, nº 62, 2007, p. 223-244.
2. La Mesnardière, *Poétique*, *op. cit.*, p. 21-22 et 86.
3. Boileau, *Art poétique*, III, v. 5-8, éd. Sylvain Menant, GF-Flammarion, 1969, p. 98.

Si l'objet de l'imitation peut être en lui-même terrifiant, sa représentation fait entièrement disparaître ce qui pourrait le rapprocher de la terreur aristotélicienne, et l'effet produit sur le spectateur se résume au seul plaisir des larmes.

Dès lors que la tragédie recherche avant tout les larmes du spectateur, on comprend la place qu'occupe le registre élégiaque dans *Andromaque* : l'élégie était originellement un chant de deuil, que les poètes latins ont ensuite appliqué à des thèmes amoureux ; « le registre élégiaque souligne donc l'enjeu funèbre de la passion amoureuse [1] » et permet de faire une authentique tragédie à partir d'un sujet amoureux. Comme l'a montré Emmanuelle Hénin au sujet d'*Andromaque*, « le modèle élégiaque [...] fournit un canevas et des métaphores galantes (en l'occurrence la chaîne des amours pastorales et la reprise du vocabulaire précieux) ; à ce substrat galant [Racine] joint la lamentation funèbre, qui restitue la violence et la grandeur tragiques (l'Andromaque virgilienne sur le tombeau d'Hector) [2] ».

LA CONTAGION DES PLEURS : LA MESNARDIÈRE, *POÉTIQUE* (1639)

La seconde préface d'*Andromaque* (1676) met également l'accent sur le seul effet pathétique de la tragédie en justifiant la survie d'Astyanax au nom des émotions à produire sur le public : « je doute que les larmes d'Andromaque eussent fait sur l'esprit de mes spectateurs l'impression qu'elles y ont faite, si elles avaient coulé pour un autre fils que celui qu'elle avait d'Hector [3] ». C'est ainsi la représentation des larmes d'Andromaque sur scène qui provoque, par contagion, les larmes du spectateur, et par là le plaisir qu'il prend à la tragédie. Albert Thibaudet a montré que les revirements de Pyrrhus au cours de la pièce sont l'effet des pleurs que verse devant lui Andromaque, et qui exercent sur lui un pouvoir de séduction [4] : ses

---

1. Emmanuelle Hénin, « Le plaisir des larmes ou l'invention d'une *catharsis* galante », art. cité, p. 231.
2. *Ibid.*
3. Seconde préface, p. 18.
4. Albert Thibaudet, « Les larmes de Racine » (1932), *Réflexions sur la littérature*, éd. Antoine Compagnon et Christophe Pradeau, Gallimard, « Quarto », 2007, p. 1432-1443.

transports devant les larmes d'Andromaque mettent ainsi en abyme, sur scène, les effets que ces larmes produisent chez les spectateurs, semblablement émus et séduits.

L'idée d'une contagion des larmes de la scène à la salle pouvait s'autoriser d'un modèle antique, celui de la chaîne des émotions que Platon évoque dans l'*Ion* au sujet d'Homère [1], et que La Mesnardière avait adapté au genre de la tragédie :

> [...] les [tragédies] les plus pathétiques sont toujours les plus agréables, et même les plus accomplies, puisque les troubles de l'âme sont de l'essence du théâtre, certainement on conclura que le mouvement des passions doit être le premier objet de l'écrivain dramatique, comme leur adoucissement doit être son dernier désir, et la fin de son ouvrage.
>
> Il ne faut donc plus douter si le poème de théâtre doit émouvoir les passions, puisqu'il tire tant d'avantages de ces tempêtes intestines ; mais il faut voir quels mouvements il lui est permis d'exciter, et quelles voies il doit tenir pour élever ces orages.
>
> Il est certain que le poète ne produira point ces effets, s'il n'est fortement touché des sentiments intérieurs qu'il doit inspirer à ses juges. Il se peut faire que les pleurs qu'il versera en travaillant sur le pitoyable état d'une reine infortunée ne tirera des larmes de ceux qui verront ces portraits ; mais il n'arrivera jamais, ou rarement, qu'il excite de la pitié par la description des misères, s'il n'est outré de douleur quand il en fera la peinture.
>
> Ce commerce est naturel aux productions spirituelles, que les passions violentes et naïvement exprimées passent d'une âme dans l'autre. Le poète se les figure avec tant de réalité devant la composition, qu'il ressent la jalousie, l'amour, la haine et la vengeance avec toutes leurs émotions, tandis qu'il en fait le tableau. Le coloris qu'il y emploie est, s'il en faut parler ainsi, une passion extensible, qu'il tire de sa fantaisie, et qu'il couche sur le papier à mesure qu'il la décrit. Ensuite l'excellent acteur épouse tous les sentiments qu'il trouve dans cet ouvrage, et se les met dans l'esprit avec tant de véhémence, que l'on en a vu quelques-uns être si vivement touchés des larmes qu'ils exprimait, qu'il leur était impossible de ne pas fondre en larmes, et de n'être point abattus d'une longue et forte douleur, après avoir représenté des aventures pitoyables.
>
> Enfin l'auditeur honnête homme, et capable de bonnes choses, entre dans tous les sentiments de la personne théâtrale qui touche ses inclinations. Il s'afflige quand elle pleure ; il est gai lorsqu'elle est contente ; si elle gémit, il soupire ; il frémit, si elle se fâche ; bref

---

1. Platon, *Ion*, 535b-536c, éd. Monique Canto, GF-Flammarion, 1989, p. 104-108.

il suit tous ses mouvements, et il ressent que son cœur est comme un champ de bataille, où la science du poète fait combattre mille passions tumultueuses, et plus fortes que la raison [1].

De l'utilité et de la volupté de pleurer avec Andromaque : La Fontaine, *Les Amours de Psyché et de Cupidon* (1669)

L'unique essai de La Fontaine dans le genre du roman, *Les Amours de Psyché et de Cupidon*, contient, à titre de pause dans le récit mythologique, une conversation entre le narrateur, Polyphile, et ses amis Ariste, Acante et Gélaste, qui se demandent quelle est l'émotion esthétique la meilleure, du rire ou des larmes. Gélaste prend le parti du rire, tandis qu'Ariste se fait le champion des pleurs. Insensiblement, le débat se reformule en termes génériques, entre la tragédie et la comédie, considérés comme les lieux privilégiés, respectivement, des larmes et du rire. Les protagonistes réduisent ainsi les effets de la tragédie à la seule pitié et aux pleurs. Or l'unique exemple moderne donné au cours de la discussion n'est autre qu'*Andromaque* : Gélaste, qui évoque la tragédie de Racine dans un raisonnement hostile au genre tragique, affirme qu'il ne trouve aucune « réjouissance » à pleurer avec la veuve d'Hector persécutée par Pyrrhus, et moque le thème platonicien de la contagion des pleurs.

— [...] Vous savez combien nous avons ri en lisant Térence, et combien je ris en voyant les Italiens : je laisse à la porte ma raison et mon argent, et je ris après tout mon soûl. Mais que les belles tragédies ne nous donnent une volupté plus grande que celle qui vient du comique, Gélaste ne le niera pas lui-même, s'il y veut faire réflexion.

— Il faudrait, repartit froidement Gélaste, condamner à une très grosse amende ceux qui font ces tragédies dont vous nous parlez. Vous allez là pour vous réjouir, et vous y trouvez un homme qui pleure auprès d'un autre homme, et cet autre auprès d'un autre, et tous ensemble avec la comédienne qui représente Andromaque, et la comédienne avec le poète : c'est une chaîne de gens qui pleurent, comme dit votre Platon. Est-ce là ainsi que l'on doit contenter ceux qui vont là pour se réjouir ?

---

1. La Mesnardière, *Poétique*, *op. cit.*, p. 73-74.

– Ne dites point qu'ils y vont pour se réjouir, reprit Ariste ; dites qu'ils y vont pour se divertir. Or je vous soutiens, avec le même Platon, qu'il n'y a divertissement égal à la tragédie, ni qui mène plus les esprits où il plaît au poète. Le mot dont se sert Platon fait que je me figure le même poète se rendant maître de tout un peuple, et faisant aller les âmes comme des troupeaux, et comme s'il avait en ses mains la baguette du dieu Mercure. Je vous soutiens, dis-je, que les maux d'autrui nous divertissent, c'est-à-dire qu'ils nous attachent l'esprit.

Ariste, dans sa réponse, ne mentionne plus la tragédie de Racine. Mais en reprenant au sérieux le motif platonicien de la contagion des larmes qu'avait employé Gélaste pour ridiculiser la pièce, l'éloge qu'Ariste fait du poète tragique maître des cœurs englobe aussi, implicitement, l'auteur d'*Andromaque*.

– [...] Nous n'avons qu'à examiner sans prévention la comédie et la tragédie. Il arrive assez souvent que cette dernière ne nous touche point : car le bien et le mal d'autrui ne nous touche que par rapport à nous-mêmes, et en tant que nous croyons que pareille chose nous peut arriver, l'amour-propre faisant sans cesse que l'on tourne les yeux vers soi. Or, comme la tragédie ne nous représente que des aventures extraordinaires, et qui vraisemblablement ne nous arriveront jamais, nous n'y prenons point de part, et nous sommes froids, à moins que l'ouvrage ne soit excellent, que le poète ne nous transforme, que nous ne devenions d'autres hommes par son adresse, et ne nous mettions en la place de quelque roi. Alors j'avoue que la tragédie nous touche, mais de crainte, mais de colère, mais de mouvements funestes qui nous renvoient au logis pleins des choses que nous avons vues, et incapables de tout plaisir. [...] vous vous en retournez chagrin et rempli de noires idées. C'est ce qu'il y a à gagner avec les Orestes et les Œdipes, tristes fantômes qu'a évoqués le poète magicien dont vous nous avez parlé tantôt. Encore serions-nous heureux s'ils excitaient le terrible toutes les fois que l'on nous les fait paraître : cela vaut mieux que de s'ennuyer ; mais où sont les habiles poètes qui nous dépeignent ces choses au vif ? Je ne veux pas dire que le dernier soit mort avec Euripide ou avec Sophocle ; je dis seulement qu'il n'y en a guère...

Cette seule évocation de la terreur, par Gélaste, dissocie entièrement cet effet de la pitié, et le dévalorise comme désagréable. Lorsque Ariste reprend ensuite son éloge de la tragédie, son argumentation ne considère comme effet tragique que la pitié, et ne répond même pas à l'argument de Gélaste sur la crainte ; il propose alors une nouvelle forme de *catharsis*, qui souligne à la fois l'utilité morale et le plaisir des larmes versées devant le spectacle tragique :

> – [...] Il s'en faut bien que la tragédie nous renvoie chagrins et mal satisfaits, la comédie tout à fait contents et de bonne humeur ; car, si nous apportons à la tragédie quelque sujet de tristesse qui nous soit propre, la compassion en détourne l'effet ailleurs, et nous sommes heureux de répandre pour les maux d'autrui les larmes que nous gardions pour les nôtres [...]. Je veux vous prouver que la pitié est le mouvement le plus agréable de tous. Votre erreur vient de ce que vous confondez ce mouvement avec la douleur. Je crains celle-ci encore plus que vous ne le faites ; quant à l'autre, c'est un plaisir, et très grand plaisir. En voici quelques raisons nécessaires, et qui vous prouveront par conséquent que la chose est telle que je vous dis. La pitié est un mouvement charitable et généreux, une tendresse de cœur dont tout le monde se sait bon gré. Y a-t-il quelqu'un qui veuille passer pour un homme dur et impénétrable à ses traits ? Or, qu'on ne fasse les choses louables avec un très grand plaisir, je m'en rapporte à la satisfaction intérieure des gens de bien ; je m'en rapporte à vous-même, et vous demande si c'est une chose louable que de rire. Assurément ce n'en est pas une, non plus que de boire et de manger, ou de prendre quelque plaisir qui ne regarde que notre intérêt. Voilà donc déjà un plaisir qui se rencontre en la tragédie, et qui ne se rencontre pas en la comédie. Je vous en puis alléguer beaucoup d'autres. Le principal, à mon sens, c'est que nous nous mettons au-dessus des rois par la pitié que nous avons d'eux, et devenons dieux à leur égard, contemplant d'un lieu tranquille leurs embarras, leurs afflictions, leurs malheurs ; ni plus ni moins que les dieux considèrent de l'Olympe les misérables mortels [1].

---

1. La Fontaine, *Les Amours de Psyché et de Cupidon*, éd. Françoise Charpentier, GF-Flammarion, 1990, p. 99-107.

5

— *La peinture des passions
et les genres d'*Andromaque

Andromaque *est-elle bien une tragédie ? Certains critiques de
l'âge classique y ont vu une possible comédie, et des interprètes
modernes y reconnaissent la matière d'un drame. Cette plura-
lité de lectures témoigne d'une concurrence entre l'action principale (la mort de Pyrrhus persécuteur d'Andromaque, qui
donne à celle-ci la royauté) et l'action secondaire (la passion
d'Oreste pour Hermione délaissée par Pyrrhus), que Racine n'a
pas unifiées aussi parfaitement que l'exigeait la dramaturgie
classique[1]. La place centrale qu'occupe la passion amoureuse
dans cette action secondaire relativement autonome peut sembler moins digne d'une tragédie, et se laisser réduire à une
comédie ou à un drame.

UNE COMÉDIE QUI FINIT MAL

Depuis le XVIIᵉ siècle, nombreux sont ceux qui estiment que
la tragédie contient plusieurs scènes susceptibles de susciter le
sourire, voire le rire ; André Gide encore se disait « gêné par
une sorte de marivaudage tragique[2] ». Le critique Raymond
Picard opposait à cette idée d'un « comique latent » d'*Andromaque* l'argument suivant : « ce n'est pas parce qu'il est tragique que tel personnage apparaît dans une tragédie ; c'est
parce qu'il figure dans une tragédie qu'il est tragique. Le même
élément objectif [...] est susceptible d'une mise en œuvre
comique ou tragique[3] ». La seconde proposition, indéniable,
n'est toutefois pas équivalente à la première, caractéristique de

---

1. Voir Présentation.
2. André Gide, *Journal*, 1ᵉʳ février 1902.
3. Raymond Picard, « Les tragédies de Racine : tragique ou
comique ? », *Revue d'histoire littéraire de la France*, nº 3-4, mai-
août 1969, p. 467.

la critique moderne depuis le XIXᵉ siècle, qui présuppose qu'une œuvre s'apparente à un organisme dont les parties sont nécessairement au service de la totalité. Cette pétition de principe définit la tâche du commentaire, qui est de justifier ces parties telles qu'elles sont en montrant leur subordination au tout de l'œuvre :

> Si l'on veut évaluer le comique ou le tragique dans une pièce, il ne faut donc pas partir des passages jugés significatifs pour s'élever ensuite à l'ensemble ; il faut au contraire partir de l'optique d'ensemble, de l'intention génératrice de l'œuvre et l'univers qu'elle définit, pour éclairer ensuite les passages particuliers [1].

Selon Picard, il n'y a donc pas de passages comiques dans *Andromaque*, il n'y a que des mauvais spectateurs ou des lecteurs malveillants. Or la critique des XVIIᵉ et XVIIIᵉ siècles, parce qu'elle ne postule pas la perfection de l'œuvre telle qu'elle est, mais est prête à envisager que l'œuvre aurait pu être autre, offre l'exemple d'une critique attentive aux virtualités et aux possibles que recèle *Andromaque*, au nombre desquels la comédie [2].

LE JUGEMENT DE BOILEAU

À en croire le *Bolæana*, recueil de bons mots de Boileau, celui-ci avait quelques réticences à l'égard d'*Andromaque*, concernant la place qu'y occupe l'amour et la manière dont le traite Racine : dans cette pièce, selon lui, l'amour est « pris à la lettre », et à ce titre digne du genre de la comédie parce que propre à exciter le rire, par opposition à l'amour qui va jusqu'à la « fureur », et constitue alors une passion tragique, susceptible de provoquer les effets de la tragédie.

Cela amène Boileau à critiquer tout particulièrement le caractère de Pyrrhus, qui serait celui d'un « héros à la Scudéry [3] ». La scène 5 de l'acte II montre fort bien comment une telle peinture de la passion dégrade la tragédie en comédie. Pyrrhus affirme dès sa première réplique avoir vaincu son amour, et manifeste néanmoins, tout au long de l'échange avec Phœnix, la persistance de sa passion pour Andromaque : un tel décalage,

---

1. *Ibid.*, p. 470.
2. Voir Dossier, 6.
3. Voir Dossier, 3.

qui montre l'aveuglement du personnage, est typiquement comique. En revanche, Boileau approuve les caractères d'Hermione et d'Oreste, dont l'amour va, pour la première, jusqu'aux fureurs du suicide, et, pour le second, jusqu'à la folie : dans leurs cas, la passion produit de puissants effets pathétiques.

> Monsieur Despréaux disait que l'amour est un caractère affecté à la comédie, parce qu'au fond il n'y a rien de si ridicule que le caractère d'un amant, et que cette passion fait tomber les hommes dans une espèce d'enfance. [...] Il disait que les inégalités des amants, leurs fausses douleurs, leurs joies inquiètes, sont le plus beau champ du monde pour exercer un poëte comique ; mais que l'amour pris à la lettre n'était point du caractère de la tragédie, à laquelle il ne pouvait convenir qu'en tant qu'il allait jusqu'à la fureur, et par conséquent devenait passion tragique. Il n'était point du tout satisfait du personnage que fait Pyrrhus dans l'*Andromaque*, qu'il traitait de héros à la Scudéry, au lieu qu'Oreste et Hermione sont de véritables caractères tragiques. Il frondait encore cette scène, où Monsieur Racine fait dire par Pyrrhus à son confident : « Crois-tu si je l'épouse/ Qu'Andromaque en son cœur n'en sera pas jalouse ? » (II, 2). Sentiment puéril qui revient à celui de Perse : *Censen, plorabit, Dave, relicta ?* car Perse n'a en vue que la comédie de Térence, où de pareils sentiments sont en place, au lieu qu'ils sont trop badins ailleurs, et dérogent à la gravité magnifique de la tragédie [1].

DUBOS, *RÉFLEXIONS CRITIQUES SUR LA POÉSIE ET SUR LA PEINTURE* (1719)

Dans un chapitre de ses *Réflexions critiques sur la poésie et la peinture* (1719) dont le titre dit l'essentiel (« Que nos voisins disent que nos poètes mettent trop d'amour dans leurs tragédies »), l'abbé Jean-Baptiste Dubos, en s'autorisant d'un auteur anglais dont il ne précise pas l'identité, reproche aux dramaturges de « donner le nom d'amour et de passion à l'inclination générale d'un sexe pour l'autre sexe [...], inclination machinale qui n'est rien moins qu'une passion tragique ». C'est dans le cadre de ces critiques qu'il reprend la remarque de Boileau au sujet de Pyrrhus et de sa conduite à la scène 5 de l'acte II. Il

---

1. *Bolœana ou les Bons Mots de M. Boileau*, Amsterdam, Lhonoré, 1742, p. 58-60. Le vers de Perse signifie : « Dave, crois-tu, si je la quitte, qu'elle en versera des larmes ? » Térence est un auteur latin de comédies.

reconnaît toutefois à cette scène la qualité d'« une peinture naïve des transports et de l'aveuglement de l'amour véritable » ; mais c'est précisément ce qui ne convient pas à la tragédie, qui requiert un tout autre traitement de ce sentiment, sans quoi cela « jette du ridicule » sur le héros. Dubos témoigne de surcroît que l'identification du caractère comique de cette scène n'est pas le seul fait de doctes à l'esprit chagrin, mais aussi bien du « parterre », c'est-à-dire de la partie la plus populaire du public. Enfin, en assignant à Phœnix la fonction de « confident », Dubos signale, fût-ce involontairement, que Racine a fait de ce personnage surtout l'auditeur des épanchements amoureux de Pyrrhus : rôle peu digne du titre, plus grave, de « gouverneur d'Achille, et ensuite de Pyrrhus » que porte Phœnix dans la liste des personnages, à l'imitation du sage Phœnix qui, dans l'*Iliade*, modère les passions d'Achille.

> Un poète très vanté chez une nation voisine, qui du moins a beaucoup d'émulation pour la nôtre, fait en différents endroits de ses ouvrages plusieurs réflexions un peu désobligeantes pour les poètes tragiques français. Cet écrivain prétend que l'affectation à mettre de l'amour dans toutes les intrigues des tragédies et dans presque tous les caractères des personnages, a fait tomber nos poètes en plusieurs fautes. Une des moindres est de faire souvent de fausses peintures de l'amour. L'amour n'est pas une passion gaie : le véritable amour, le seul qui soit digne de monter sur la scène tragique, est presque toujours chagrin, sombre et de mauvaise humeur. Or, ajoute l'auteur anglais, un pareil caractère déplairait bientôt, si les poètes français le donnaient souvent à leurs amoureux. Les dames françaises, auxquelles surtout il faut être complaisant, ne trouveraient point ces héros assez gracieux. Le véritable amour jette souvent du ridicule sur les personnages les plus sérieux. En effet le parterre rit presque aussi haut qu'à une scène de comédie, à la représentation de la dernière scène du second acte d'Andromaque, où Monsieur Racine fait une peinture naïve des transports et de l'aveuglement de l'amour véritable, dans tous les discours que Pyrrhus tient à Phœnix son confident[1].

LOUIS RACINE, *RÉFLEXIONS SUR L'ANDROMAQUE D'EURIPIDE ET SUR L'ANDROMAQUE DE RACINE* (1732)

Dans un mémoire publié en 1732, Louis Racine (1692-1763), dernier fils du dramaturge, compare l'*Andromaque* d'Euripide

---

1. Dubos, *Réflexions critiques sur la poésie et la peinture* (1719), I, 18.

et celle de son père [1]. Si le second a conservé l'Hermione du premier, « pleine d'amour, de jalousie et de fureur[, c'est que] c'est sur elle que doit tomber l'indignation du spectateur, dont toute l'admiration doit être pour Andromaque, qui est la seule qu'on admire et qu'on plaint, parce qu'elle est un modèle de malheur et de vertu [2] ». Si l'action principale dont Andromaque est l'héroïne suscite bien les effets tragiques, il n'en va pas de même des autres personnages, qui composent l'action secondaire :

> Le noble caractère d'une épouse si fidèle, et d'une mère si tendre, digne toujours d'admiration et de compassion, a causé sans doute le succès de cette tragédie, et a réparé la faiblesse des trois autres personnages, que je trouve défectueux, parce que je ne puis ni les admirer, ni les plaindre. La critique que je vais en faire, paraîtra trop sévère à ceux qui sont charmés d'être les témoins du désespoir d'Oreste, des emportements d'Hermione, et des incertitudes de Pyrrhus. Le poète, disent-ils, a dans ces trois personnages, qui aiment tous trois avec la même violence, quoique d'une manière différente, réuni tous les mouvements divers que cette passion produit en nous. Je reconnais la perfection du tableau, mais je ne trouve pas qu'il convienne à la dignité du lieu où il est placé : persuadé que dans le poème tragique tout doit être noble et sublime, tout doit exciter en nous la terreur ou la pitié, je n'y voudrais pas voir la peinture de nos faiblesses, ou pour mieux les nommer, de nos extravagances amoureuses [3].

La critique de Boileau et de Dubos contre Pyrrhus s'étend ainsi à Oreste et Hermione. Et Louis Racine d'évoquer les nombreuses scènes où la conduite des personnages, motivée uniquement par des sentiments amoureux au mépris de leurs devoirs politiques, bascule à ses yeux dans le ridicule et le comique.

> C'est à des acteurs en brodequins [4] à nous amuser par ces puérilités, et non point aux héros dignes de paraître sur la scène tragique. Je veux bien être indulgent pour le rôle d'Hermione ; sa jalousie et

---

1. Louis Racine, *Réflexions sur l'Andromaque d'Euripide et sur l'Andromaque de Racine* (1732), dans *Mémoires de littérature tirés des registres de l'Académie royale des inscriptions et belles-lettres*, t. X, Imprimerie royale, 1736, p. 311-322.
2. *Ibid.*, p. 315.
3. *Ibid.*, p. 317-318.
4. Chaussures des acteurs de comédie (par opposition au cothurne, que portent les acteurs tragiques).

ses fureurs servent à relever, par un beau contraste, la sagesse et la vertu d'Andromaque ; mais je méprise le fils d'Agamemnon, l'ambassadeur de toute la Grèce, quand il ne sait m'entretenir que des rigueurs de sa maîtresse, que tantôt il renonce à la voir, tantôt il est résolu de l'enlever ; et qu'enfin par complaisance pour elle, il se détermine à un indigne assassinat. Je ne méprise pas moins le fils d'Achille, le vainqueur de Troie, qui court sans cesse de la fille d'Hélène à la veuve d'Hector, sans savoir laquelle des deux il veut perdre ou couronner, qui quitte Hermione et la reprend, lui manque de parole aussi bien qu'à Oreste, tantôt offre à sa captive un même bras prêt à relever Ilion, et tantôt lui présente ce même bras, prêt à égorger Astyanax. Telle est, dira-t-on, l'image de l'homme. [...] *L'Amour traîne à sa suite tous ces vices, les injures, les soupçons, les perfidies, la guerre et la paix*[1]. Oui, j'y reconnais l'image de l'homme, mais non pas celle d'un héros[2].

La citation de Térence illustrerait la conduite des personnages de Racine : elle ne saurait être la « moralité » d'une tragédie, genre qui exige une autre « image de l'homme », en l'occurrence son portrait héroïque. Louis Racine, à son tour, épingle la scène 5 de l'acte II :

C'est par cette raison que j'ose critiquer cette scène d'*Andromaque* qui a tant de partisans, et qui commence par ce vers :

Eh bien Phœnix, l'amour est-il le maître ?

[...] Ôtons en effet le nom de Pyrrhus en cette scène, ne songeons plus au fils d'Achille, qu'y trouverons-nous que la peinture ordinaire des folies de l'amour ? Un amant dans la colère croit haïr la personne dont il parle toujours, et il en parle toujours, parce que en effet il ne la hait point ; c'est la même peinture que Molière nous présente dans la scène qui se passe entre Cléonte et Covielle, et la même de ce vers de Térence :

Exclusit, revocat, redeam ! non, si me obsecret[3].

L'expérience de réécriture que propose Louis Racine entend démontrer qu'il n'est guère besoin d'intervenir massivement sur

---

1. Citation de Térence.
2. Louis Racine, *Réflexions sur l'Andromaque d'Euripide et sur l'Andromaque de Racine*, *op. cit.*, p. 318.
3. *Ibid.*, p. 319. Louis Racine cite un vers de la comédie de Térence *L'Eunuque* (« Me quitter, me reprendre, et j'y retournerais ! Non, quand tu m'en prierais ») et fait allusion aux scènes 9 et 10 de l'acte III du *Bourgeois gentilhomme*.

le texte de Racine pour faire de ce dialogue une scène comique :
changer le nom des personnages suffirait. Autrement dit,
Andromaque n'est une tragédie que par la condition princière
de son personnel dramatique, non par la dignité de son action
et la convenance de ses caractères.

ÉMILE FAGUET, *ÉTUDES ET PORTRAITS LITTÉRAIRES* (1890)

À partir du XIXᵉ siècle, l'oubli des exigences de la dramaturgie classique quant au choix des sujets proprement tragiques
et à l'élaboration des caractères des personnages a permis le
renversement de ces critiques en éloges : *Andromaque* se voit
valorisée à cette époque précisément en tant que tableau des
passions et des faiblesses humaines. Racine n'apparaît alors
plus comme le rival de Corneille, mais comme celui de Molière.
Aussi le critique Émile Faguet (1847-1916) n'hésite-t-il pas à
voir dans Oreste et dans l'Alceste du *Misanthrope* deux décli-
naisons d'un même personnage d'amant mélancolique, traité
de façon plus (Molière) ou moins (Racine) comique. Ce changement de lecture, rendu possible par l'esthétique romantique,
place au premier plan les personnages que Louis Racine jugeait
ratés, Oreste et Hermione. L'action secondaire d'*Andromaque*
devient alors l'action principale d'une nouvelle comédie – qui
pourrait s'intituler *Oreste ou l'Atrabilaire amoureux* –, tandis
que l'action principale de la tragédie, dont Andromaque est
l'héroïne, n'est même plus considérée.

> *Andromaque* c'est la vie elle-même et par conséquent c'est une
> comédie. C'est une comédie qui finit mal ; la tragédie ne sera jamais
> autre chose pour Racine jusqu'à *Phèdre*. Retournez la théorie de
> Corneille, vous avez la théorie d'*Andromaque :* les grands intérêts de
> l'humanité au second rang et les sentiments individuels et surtout
> l'amour au premier. *Andromaque* est ce que Corneille et les corné-
> liens appelleraient une comédie. Elle abonde, du reste, en mots plai-
> sants. Tout le second acte en est plein [...] Racine est donc bien en
> son fond un poète comique si la définition de la comédie par Féne-
> lon est juste : « La comédie représente les mœurs des hommes dans
> les conditions privées. » Il s'aperçoit le premier en France qu'il n'y
> a pas entre la tragédie et la comédie une différence essentielle ; mais
> une différence de degré. Ce n'était pas vrai avant lui. [...] Il n'y a
> pour lui de différence entre la comédie et la tragédie que la portée
> plus ou moins grande des passions mises en jeu, que ceci qu'à voir
> une comédie on doit sentir tout de suite que les passions n'auront

qu'un résultat médiocre, et qu'à voir une tragédie on doit tout de suite ou au moins craindre que les passions n'aient un résultat terrible et funeste. Racine prend pour matière les mêmes passions que Molière, celles que tous les hommes peuvent ressentir ; mais, d'une part, il leur donne une force qui fait redouter qu'elles n'aillent loin, et d'autre part il les engage dans une action d'où il est vraisemblable que sortent des effets sanglants, et nous sommes ainsi dans un genre de drame qui peut commencer comme une comédie et finir comme la plus effroyable tragédie d'Eschyle. [...] *Andromaque* est un dépit amoureux qui va jusqu'au crime [...]. Les scènes du second acte d'*Andromaque* et les scènes du *Misanthrope* entre Alceste et Célimène sont du même ton. Il y a même un peu plus de violence dans les plaintes d'Alceste et un peu plus de tendresse railleuse dans celles d'Oreste [1].

TRAGÉDIE OU DRAME ?

JULES LEMAÎTRE, *JEAN RACINE* (1908)

À partir du XIXe siècle, Oreste mélancolique et fou d'amour se laisse toutefois mieux ramener à un autre type de personnage, plus caractéristique d'un genre inventé autour de 1830 : il serait le héros d'un drame romantique, genre où la passion amoureuse occupe une place centrale et indiscutée, ce qui n'est pas tout à fait le cas dans la tragédie classique. Telle est la proposition d'un critique contemporain de Faguet, Jules Lemaître (1853-1914) :

> Oreste est encore autre chose qu'un possédé de l'amour, qui aime comme l'on hait ; [...] autre chose aussi que l'amant ténébreux et mélancolique que l'on rencontre quelquefois dans les romans du XVIIe siècle. Il me paraît le premier des héros romantiques. C'est déjà l'homme fatal, qui se croit victime de la société et du sort, marqué pour un malheur spécial, et qui s'enorgueillit de cette prédestination et qui, en même temps, s'en autorise pour se mettre au-dessus des lois. C'est déjà le réfractaire, le révolté aux déclamations frénétiques. Notez que Racine a pris Oreste avant le temps où il venge sur sa mère le meurtre de son père. Ce n'est pas encore l'homme poursuivi par les Furies. Ses Furies ne sont qu'en lui-même : c'est sa passion, son orgueil, les sombres plaisirs du désespoir, le goût de la mort... [...]

---

1. Émile Faguet, *Dix-septième siècle. Études et portraits littéraires*, Paris, Boivin, s.d. [1890], p. 311-317.

Jusque dans la splendide déclamation par où commence l'accès de folie d'Oreste [...], jusque dans ces vers enragés, il y a à la fois une absurdité et une satisfaction de soi où les héros romantiques se reconnaîtraient. Une absurdité, ai-je dit : car ce malheur insigne, unique, pour lequel Oreste maudit solennellement tous les dieux, c'est la vulgaire aventure d'avoir aimé sans être aimé ; et quant au crime d'avoir, par jalousie, laissé assassiner son rival (car le faible garçon n'a pas eu le courage de frapper lui-même), en quoi rend-il Oreste si intéressant ? Mais on sent qu'Antony et Didier[1] parleraient comme lui, et s'enorgueilliraient de leur lâcheté comme d'une infortune sublime. Oui, Oreste déjà porte en lui une tristesse soigneusement cultivée, une désespérance littéraire, une révolte vaniteuse, qui, cent cinquante ans après lui, éclateront dans la littérature romantique[2].

LUCIEN GOLDMANN, *LE DIEU CACHÉ* (1959)

Le critique marxiste Lucien Goldmann (1913-1970) a consacré sa thèse, *Le Dieu caché*, à identifier, dans les tragédies de Racine et les *Pensées* de Pascal, une même « vision tragique » de l'homme, propre au jansénisme et exprimant la situation économique et sociale de la noblesse de robe parmi laquelle ce courant religieux aurait le mieux prospéré. Cette « vision tragique » consiste en un dilemme insoluble : d'une part, le refus radical du « monde », lieu du péché et de la corruption, dans lequel il est impossible de donner à l'existence authenticité et valeur ; d'autre part, le constat que le monde est la seule réalité où accomplir l'exigence morale. Il y a tragédie, selon Goldmann, lorsque cette exigence éthique est érigée en un absolu au regard duquel il ne saurait y avoir de réconciliation avec le monde. Toutes les pièces de Racine ne seraient pas des tragédies : Goldmann en considère certaines comme des « drames », parce que s'y manifeste la tentative d'une telle réconciliation. *Andromaque* est ainsi une « tragédie » qui tourne finalement au « drame ».

Racine aurait été surpris par cette définition philosophique de la tragédie, comme par cette notion de « drame » employée pour désigner une pièce sérieuse (par opposition, par exemple,

---

1. Héros respectifs d'*Antony* de Dumas (1831) et de *Marion de Lorme* de Hugo (1829).
2. Jules Lemaître, *Jean Racine*, Calmann-Lévy, 1908, p. 147-150.

à une comédie) mais dépourvue de tragique : une telle opposition n'a aucune pertinence dans le système classique des genres, et le XVIIe siècle ignore notre conception métaphysique du tragique [1]. Reste que ces deux catégories permettent à Goldmann d'apercevoir dans *Andromaque* une authentique tension entre deux pièces concurrentes, dont le personnel n'est pas le même.

> Il n'y a dans la pièce que deux personnages présents : *le Monde* et *Andromaque*, et un personnage présent et absent à la fois, le *Dieu* à double visage incarné par Hector et Astyanax et leurs exigences contradictoires et par cela même irréalisables.
>
> Il est clair qu'Hector annonce déjà le Dieu de *Britannicus* et de *Phèdre*, sans cependant s'identifier à lui, car *Andromaque* est encore un drame, tout en étant déjà très près de la tragédie.
>
> *Le Monde* est représenté par trois personnages psychologiquement différents, car Racine crée des êtres vivants et individualisés, mais *moralement identiques* par leur absence de conscience et de grandeur humaine. [...] Pour le *primat de l'éthique*, qui caractérise la tragédie et qui est sa perspective véritable, il n'y a ni degrés ni approche, les êtres ont ou n'ont pas une conscience humaine authentique [...].
>
> Le schème de la pièce est celui de toute tragédie racinienne. Andromaque se trouve placée devant un choix, dont les deux éléments, fidélité à Hector et vie d'Astyanax, sont également essentiels pour son univers moral et humain. C'est pourquoi elle ne pourra choisir que la mort qui sauve l'une et l'autre de ces deux valeurs [...] *antagonistes et en même temps inséparables.*
>
> Mais, tout en étant le seul être humain de la pièce, Andromaque n'en est pas le personnage principal. Elle se trouve à la périphérie. Le vrai centre, c'est *le monde* et, plus concrètement, le monde des fauves de la vie passionnelle et amoureuse. [...] Les fauves de la passion sont des égoïstes dépourvus de toute norme éthique véritable et ne deviennent que trop facilement des fauves dans tous les domaines de la vie…

La différence entre Andromaque et les autres personnages se manifeste nettement à l'entrée de la veuve d'Hector :

> Mais, dès la scène 4, Andromaque apparaît et l'atmosphère change. Son arrivée nous place dans l'univers de la vérité absolue, sans compromis de l'univers tragique. Pyrrhus a beau être son maître, celui dont dépend sa vie et celle de son fils, lorsqu'il lui demande : « Me cherchiez-vous, Madame ?/ Un espoir si charmant me serait-il permis ? » (I, 4), la réponse d'Andromaque est claire et

---

1. Voir Marc Escola, *Le Tragique*, GF-Flammarion, « Corpus Lettres », 2002.

sans équivoque, et cela malgré les dangers qu'elle encourt : « Je passais jusqu'aux lieux où l'on garde mon fils./ Puisqu'une fois le jour vous souffrez que je voie/ Le seul bien qui me reste et d'Hector et de Troie. » Le heurt ne pouvait être plus radical. La suite est évidente. Pyrrhus – le monde – lui propose le compromis…

Goldmann situe alors le basculement définitif de la « tragédie » vers le « drame » à la scène 1 de l'acte IV :

> Andromaque *est tragique* dans la mesure où elle refuse l'alternative, opposant au monde son *refus volontaire* de la vie, le choix *librement accepté* de sa mort. Elle n'est *cependant plus tragique* lorsque, décidant d'accepter, avant de se tuer, le mariage avec Pyrrhus, elle ruse avec le monde pour transformer sa victoire *morale* en victoire matérielle qui lui survivrait. La pièce est une tragédie qui, dans les deux derniers actes, s'oriente brusquement vers le drame. […]
>
> Car Andromaque peut se donner la mort, non pas parce qu'elle a refusé le monde, abandonné tout espoir de vie intramondaine, comme le feront plus tard Junie, Bérénice et Phèdre, mais au contraire parce qu'elle compte sur la loyauté de Pyrrhus qui, devenu son époux, continuera sa tâche en défendant Astyanax. En somme, *elle pourrait aussi bien continuer à vivre dans le monde.* Elle le devrait même, car son espoir est fallacieux. Le caractère de Pyrrhus *ne le justifie en rien.* Il peut aussi bien, probablement même, dans une réaction de colère, livrer Astyanax aux Grecs pour se venger d'avoir été trompé. Andromaque a employé la ruse, c'est pourquoi elle pourrait être dupe. Malgré toutes les différences dont nous avons déjà parlé, malgré la grandeur morale de son acte, elle rejoint par certains côtés le monde. C'est, au fond, probablement pour ne pas rendre cette déchéance évidente et renverser à la fin la structure de sa pièce, que Racine fait mourir Pyrrhus et survivre Andromaque [1].

Que Goldmann fasse de la fin d'*Andromaque* un « drame » n'a rien d'étonnant à partir de la scène 2 de l'acte IV : Andromaque ne reparaissant alors plus sur scène, c'est l'action secondaire, éminemment « dramatique », des « fauves » et de leurs passions, qui prend la première place. Quant à la scène 1 de l'acte IV, Goldmann retrouve à sa manière la critique de Subligny, qui voyait dans la résolution d'Andromaque la « faute de jugement » d'une « étourdie [2] », peu digne en effet d'une héroïne de tragédie, dans la perspective classique comme dans

---

1. Lucien Goldmann, *Le Dieu caché. Étude sur la vision tragique dans les Pensées de Pascal et dans le théâtre de Racine*, © Gallimard, 1959 ; rééd. Gallimard, « Tel », 1976, p. 354-362.
2. Voir Dossier, 2.

la perspective de Goldmann. Ce dernier adopte même la démarche de Subligny, en évaluant cette décision à l'aune d'une variante possible : si Pyrrhus n'avait pas été assassiné, il n'aurait probablement pas protégé Astyanax après le suicide d'Andromaque. Et, comme Subligny, Goldmann esquisse une autre version de la pièce pour démontrer l'imperfection d'*Andromaque*, par contamination avec *Britannicus, Bérénice* et surtout *Phèdre* – seules pièces authentiquement « tragiques » selon lui : dans une véritable tragédie janséniste, Andromaque se tuerait par refus du monde.

Si la tragédie de Racine est une savante réécriture de la plupart des textes antiques mettant en scène Andromaque, on ne s'étonnera pas qu'elle ait à son tour servi de point de départ à d'innombrables récritures. Le succès immense et durable de la pièce a fait que « penser à Andromaque », pour paraphraser un vers du « Cygne » de Baudelaire, c'est désormais penser aussi à l'*Andromaque* de Racine – ou penser contre elle.

BAUDELAIRE, « LE CYGNE » (1861)

Dans un des « Tableaux parisiens » des *Fleurs du Mal* (édition de 1861), Baudelaire fait du personnage d'Andromaque le point de départ d'une rêverie mélancolique sur différentes figures d'exilés, suscitée par le spectacle d'« un cygne évadé de sa cage » et perdu dans la grande ville. La mélancolie du poète, historique et politique, se déploie sur fond de disparition du « vieux Paris » ouvrier et révolutionnaire, détruit sous le Second Empire par les travaux d'Haussmann. La dédicace à Hugo est ainsi un hommage à l'exilé qui avait refusé l'amnistie accordée par Napoléon III à ses opposants en 1859. La mélancolie d'Andromaque est celle des deux poètes, qui, contre l'oubli, conservent la mémoire d'un passé perdu.

En dépit de vers dont la syntaxe semble pasticher ceux de la tragédie, Baudelaire récrit moins Racine que Virgile, et retient du texte de l'*Énéide* ce que Racine en écartait. Andromaque a de nouveau pour époux Hélénus. La première strophe amplifie un vers de Virgile, que Racine a coupé, qui évoquait le « faux Simoïs » construit par Andromaque en Épire. Baudelaire ressuscite l'Andromaque de Virgile contre celle de Racine : l'héroïne de la tragédie, résolue à épouser Pyrrhus et devenue reine vengeresse de Pyrrhus au dénouement, n'est en effet plus tout à fait la figure éternellement mélancolique de l'exilée léguée par l'*Énéide*.

Le Cygne

À Victor Hugo

I

Andromaque, je pense à vous ! Ce petit fleuve,
Pauvre et triste miroir où jadis resplendit
L'immense majesté de vos douleurs de veuve,
Ce Simoïs menteur qui par vos pleurs grandit,

A fécondé soudain ma mémoire fertile,
Comme je traversais le nouveau Carrousel.
Le vieux Paris n'est plus (la forme d'une ville
Change plus vite, hélas ! que le cœur d'un mortel).

Je ne vois qu'en esprit tout ce camp de baraques,
Ces tas de chapiteaux ébauchés et de fûts,
Les herbes, les gros blocs verdis par l'eau des flaques,
Et, brillant aux carreaux, le bric-à-brac confus.

Là s'étalait jadis une ménagerie ;
Là je vis, un matin, à l'heure où sous les cieux
Froids et clairs le Travail s'éveille, où la voirie
Pousse un sombre ouragan dans l'air silencieux,

Un cygne qui s'était évadé de sa cage,
Et, de ses pieds palmés frottant le pavé sec,
Sur le sol raboteux traînait son blanc plumage.
Près d'un ruisseau sans eau la bête ouvrant le bec

Baignait nerveusement ses ailes dans la poudre,
Et disait, le cœur plein de son beau lac natal :
« Eau, quand donc pleuvras-tu ? quand tonneras-tu, foudre ? »
Je vois ce malheureux, mythe étrange et fatal,

Vers le ciel quelquefois, comme l'homme d'Ovide,
Vers le ciel ironique et cruellement bleu,
Sur son cou convulsif tendant sa tête avide,
Comme s'il adressait des reproches à Dieu !

II

Paris change ! mais rien dans ma mélancolie
N'a bougé ! palais neufs, échafaudages, blocs,
Vieux faubourgs, tout pour moi devient allégorie,
Et mes chers souvenirs sont plus lourds que des rocs.

Aussi devant ce Louvre une image m'opprime :
Je pense à mon grand cygne, avec ses gestes fous,

Comme les exilés, ridicule et sublime,
Et rongé d'un désir sans trêve ! et puis à vous,

Andromaque, des bras d'un grand époux tombée,
Vil bétail, sous la main du superbe Pyrrhus,
Auprès d'un tombeau vide en extase courbée ;
Veuve d'Hector, hélas ! et femme d'Hélénus !

Je pense à la négresse, amaigrie et phtisique,
Piétinant dans la boue, et cherchant, l'œil hagard,
Les cocotiers absents de la superbe Afrique
Derrière la muraille immense du brouillard ;

À quiconque a perdu ce qui ne se retrouve
Jamais, jamais ! à ceux qui s'abreuvent de pleurs
Et tètent la Douleur comme une bonne louve !
Aux maigres orphelins séchant comme des fleurs !

Ainsi dans la forêt où mon esprit s'exile
Un vieux Souvenir sonne à plein souffle du cor !
Je pense aux matelots oubliés dans une île,
Aux captifs, aux vaincus !… à bien d'autres encor !

MUSSET, *LES MARRONS DU FEU* (1829)

UNE TRANSPOSITION BURLESQUE D'*ANDROMAQUE*

La première tentative théâtrale de Musset, *Les Marrons du feu* (dans *Contes d'Espagne et d'Italie*, 1829), est une brève comédie en vers emblématique de l'irrévérence du jeune poète à l'égard d'une culture classique dont il est en même temps profondément nourri. Rafael, séducteur lassé de sa maîtresse, une danseuse appelée la Camargo, offre à un personnage ridicule, l'abbé Annibal, l'occasion de la posséder. La vengeance de la Camargo est une réécriture de la fin d'*Andromaque* : comme Hermione à la scène 3 de l'acte IV, la Camargo demande à Annibal, qu'elle n'aime pas mais qui est prêt à tout pour elle, d'assassiner Rafael qu'elle aime ; lorsque Annibal revient après avoir commis le meurtre, elle se refuse à lui – mais d'une façon qui n'a plus rien de tragique. C'est qu'en prêtant à une danseuse le rôle d'Hermione, à un amant cynique celui de Pyrrhus, et à un abbé débauché celui d'Oreste, Musset se livre à une transposition burlesque d'*Andromaque*. Ce que le titre de la comédie entérine : l'expression « les marrons du feu » renvoie en effet à une fable de La Fontaine, « Le Singe et le Chat » (*Fables*, IX, 17), dans laquelle le singe croque les marrons qu'il a demandé au chat de retirer du feu, sans que celui-ci puisse en profiter. Musset assimile ainsi la vengeance d'Hermione et le sort d'Oreste à l'action d'une fable animalière, reposant non sur la passion mais sur la ruse cynique et l'intérêt.

Scène 6

L'ABBÉ

[...] – Hé parbleu ! vous seriez bien surprise
Si vous saviez qu'il [Rafael] soupe avec la Cydalise !

CAMARGO

Quoi ! Cydalise !

L'ABBÉ

      [...] C'est ainsi qu'il oublie
Auprès d'elle, qui n'est ni jeune ni jolie,
La perle de nos jours ! Ah ! madame, songez,
Que vos attraits surtout par là sont outragés.
Songez au temps, à l'heure, à l'insulte, à ma flamme ;
Croyez que vos bontés –

CAMARGO

Cydalise !

L'ABBÉ

      Eh ! madame,
Ne daignerez-vous pas baisser vos yeux sur moi ?
Si le plus absolu dévouement...

CAMARGO

Lève-toi.
As-tu le poignet ferme ?

L'ABBÉ

      Hai...

CAMARGO

Voyons ton épée.

L'ABBÉ

Madame, en vérité, vous vous êtes coupée.

CAMARGO

Eh quoi ! pâle avant l'heure, et déjà faiblissant ?

L'ABBÉ

Non pas, mais têtebleu ! voulez-vous donc du sang ?

CAMARGO

Abbé, je veux du sang ! J'en suis plus altérée
Qu'une corneille au vent d'un cadavre attirée.
Il est là-bas, dis-tu ? – cours-y donc, – coupe-lui
La gorge, et tire-le par les pieds jusqu'ici.
Tords-lui le cœur, abbé, de peur qu'il n'en réchappe.
Coupe-le en quatre, et mets les morceaux dans la nappe ;
Tu me l'apporteras, et puisse m'écraser
La foudre, si tu n'as par blessure un baiser !
Tu tressailles, Romain ! C'est une faute étrange
Si tu te crois ici conduit par ton bon ange !
Le sang te fait-il peur ? Pour t'en faire un manteau
De cardinal, il faut la pointe d'un couteau.
Me jugeais-tu le cœur si large, que j'y porte
Deux amours à la fois, et que pas un n'en sorte ?
C'est une faute encor ; mon cœur n'est pas si grand,
Et le dernier venu ronge l'autre en entrant.

L'ABBÉ

Mais, Madame, vraiment, c'est… Est-ce que ?… Sans doute
C'est un assassinat. – Et la justice ?

CAMARGO

Écoute.
Je t'en supplie à deux genoux.

L'ABBÉ

Mais je me bats

Avec lui demain, moi. Cela ne se peut pas ;
Attendez à demain, madame.

CAMARGO

Et s'il te tue ? –
Demain ! et si j'en meurs ? – Si je suis devenue
Folle ? – Si le soleil, se prenant à pâlir,
De ce sombre horizon ne pouvait pas sortir ?
On a vu quelquefois de telles nuits au monde.
Demain ! le vais-je attendre à compter par seconde
Les heures sur mes doigts, ou sur les battements
De mon cœur, comme un juif qui calcule le temps
D'un prêt ? – Demain ensuite, irai-je pour te plaire
Jouer à croix ou pile, et mettre ma colère
Au bout d'un pistolet qui tremble avec ta main ?
Non pas. – Non ! Aujourd'hui est à nous, mais demain
Est à Dieu ! –

L'ABBÉ

Songez donc –

CAMARGO

Annibal, je t'adore !
Embrasse-moi !

Il se jette à son cou.

L'ABBÉ

Démons !!! –

CAMARGO

Mon cher amour, j'implore
Votre protection. – Voyez qu'il se fait tard. –
Me refuserez-vous ? – Tiens, tiens, prends ce poignard.
Qui te verra passer ? il fait si noir !

L'ABBÉ

Qu'il meure,
Et vous êtes à moi ?

CAMARGO

Cette nuit.

L'ABBÉ

Dans une heure.
Ah ! je ne puis marcher. – Mes pieds tremblent. – Je sens,
Je – je vois…

CAMARGO

Annibal, je suis prête, et j'attends [1].

L'abbé retrouve Rafael, lui plante son poignard dans la gorge
et jette son cadavre à la mer. Lorsqu'il revient auprès de la
Camargo, celle-ci exige, pour preuve du meurtre, un diamant
que Rafael portait au doigt : elle tire prétexte de ce que l'abbé
ne peut plus le récupérer pour se refuser à lui, et rejoue la fureur
d'Hermione (V, 3), en étant en réalité très satisfaite de la mort
de son amant. La pièce se termine sur une réplique de l'abbé,
réécriture du monologue d'Oreste (V, 4) :

J'ai tué mon ami, j'ai mérité le feu,
J'ai taché mon pourpoint, et l'on me congédie.
C'est la moralité de cette comédie.

LE COMMENTAIRE D'ALEXANDRE DUMAS

Alexandre Dumas, dans ses *Mémoires*, a été l'un des premiers
à signaler l'analogie entre le dénouement des *Marrons du feu* et
celui d'*Andromaque* :

L'abbé […] finit par céder aux prières, aux caresses, aux larmes de
la Camargo, comme Oreste cède aux promesses, aux emportements,
aux défis d'Hermione ; poussé par la main fiévreuse de la belle cour-
tisane, il tue Rafael comme Oreste tue Pyrrhus ; et, comme Oreste,
il revient demander à la Camargo le salaire de son amour, le prix du
sang. Comme Hermione, elle lui manque de parole […]. On le voit,
dans les deux femmes, c'est la même passion : danseuse de l'opéra,
princesse de Sparte, parlent différemment, mais agissent de la
même façon [2].

Subligny considérait comme une faute le fait qu'Hermione
n'agit pas en « princesse de Sparte », conformément au critère

1. Musset, *Les Marrons du feu*, dans *Premières Poésies*, éd. Jacques
Bony, GF-Flammarion, 1998, p. 98-97.
2. Dumas, *Mes Mémoires*, t. VIII, Paris, Calmann-Lévy, 1884, p. 191.

aristotélicien de convenance, mais en femme bafouée[1]. En revanche, pour Dumas, la peinture de la passion d'Hermione est d'autant plus véritable qu'elle se manifeste chez toute femme, princesse ou simple danseuse.

Il poursuit son commentaire en identifiant dans différentes pièces « cette même situation de la femme poussant l'homme qu'elle n'aime pas à tuer l'homme qu'elle aime[2] » : ainsi à la fin du *Cid* de Corneille, dans le *Goetz de Berlichingen* de Goethe, et dans son propre drame *Charles VII chez ses grands vassaux* (1831). Dumas, à la suite de Musset et avec le renfort de sa bibliothèque, extrait de la tragédie de Racine une formule dramatique à trois personnages seulement (Hermione, Pyrrhus, Oreste), qui se passe totalement d'Andromaque. La peinture des égarements de la passion qu'offre l'action secondaire d'*Andromaque* a davantage de quoi intéresser ces écrivains romantiques que l'action principale[3].

GEORGES FOUREST, *LA NÉGRESSE BLONDE* (1909)

Georges Fourest (1864-1945), poète proche des symbolistes et des décadents, a donné une réécriture d'*Andromaque* dans la section intitulée « Carnaval de chefs-d'œuvre » de son recueil *La Négresse blonde*. Dans ce « carnaval » défilent les tragédies les plus fameuses de Corneille et de Racine, sous forme de travestissements burlesques[4]. Les alexandrins majestueux de la tragédie y deviennent des octosyllabes, petits vers propres au style burlesque depuis le *Virgile travesti* de Scarron (1648-1649) ; Fourest transpose la pièce en multipliant les détails vulgaires et anachroniques. Pyrrhus se présente en « gants blancs », « culotte neuve » et « frac » chez Andromaque pour lui faire solennellement sa demande en mariage :

1. Voir Dossier, 2 et 3.
2. Dumas, *Mes Mémoires*, *op. cit.*, p. 195.
3. Voir Dossier, 5, le texte de Jules Lemaître.
4. « Le travestissement burlesque récrit [...] un texte noble, en conservant son "action", c'est-à-dire à la fois son contenu fondamental et son mouvement (en termes rhétoriques, son *invention* et sa *disposition*), mais en lui imposant une toute autre *élocution*, c'est-à-dire un autre "style"... » (Gérard Genette, *Palimpsestes*, Seuil, « Poétique », 1982, p. 67).

> « Madame, je suis ce qu'on nomme
> En tous lieux un parti charmant :
> Poli, rangé, doux, économe,
> Sobre, assez bien physiquement ;
>
> Bachelier, très homme du monde,
> En mes propos toujours décent ;
> Ma fortune ? Solide et ronde :
> Toute immeubles et trois pour cent [...] »

Quelles que soient les qualités de bon mari bourgeois de ce Pyrrhus déguisé en notable de la IIIe République, « madame veuve Andromaque », indignée que l'on ose lui « parler *conjugo* », lui répond un sobre et définitif « merdre », à la manière du père Ubu de Jarry. Pyrrhus, fou de colère, passe aux menaces :

> « Vous avez un môme, un bel ange
> Que jusqu'ici j'ai supporté,
> Bien qu'il piaille, gâte son lange
> Et pisse avec fétidité ;
>
> Eh bien ! Vous, madame sa mère,
> Écoutez bien encore un coup !
> Suivez-moi chez monsieur le maire
> Ou demain, je lui tords le cou ! »

Contrairement à ce qui se passe dans la tragédie, c'est ici Pyrrhus qui, de lui-même, menace Astyanax : Fourest montre ainsi que l'invention racinienne d'un ultimatum grec dont Oreste serait l'ambassadeur n'était nullement nécessaire pour motiver le chantage de Pyrrhus. Cette transformation favorise la disparition de celui-ci et d'Hermione, tout juste nommés à la fin.

> Mais ici, ma foi, ça s'embrouille
> (Justement, c'était le plus beau !)
> Attendez... La dame a la trouille...
> Et va... Consulter un tombeau...
>
> Hermione... Pylade... Oreste....
> Fureurs... Et Zut ! Achetez sous
> L'Odéon, pour savoir le reste,
> Un Racine à trente-cinq sous !...

À l'inverse de Musset, Fourest ne retient de la tragédie de Racine que l'action principale, sous la forme d'un dialogue entre Andromaque et Pyrrhus qui reprend le propos de leurs deux rencontres sur scène (I, 4 et III, 6-7). À compter de l'acte IV, « ça s'embrouille » : aux yeux malveillants du poète satirique, l'action secondaire a beau être « le plus beau » de la pièce, son imbrication avec l'action principale est quelque peu confuse.

MARCEL AYMÉ, *URANUS* (1948)

Le roman de Marcel Aymé *Uranus* se déroule au lendemain de la Libération, dans une petite ville de province, Blémont, où se croisent communistes, résistants de la dernière heure, vichystes honteux et attentistes. Le collège de la ville ayant été détruit dans les bombardements, Léopold Lajeunesse, colosse alcoolique, accueille dans son café les cours de français, et découvre avec passion *Andromaque* que le professeur fait réciter à ses élèves. Il tombe amoureux d'Andromaque et se rêve en libérateur de la veuve d'Hector ; or le meilleur moyen de la sauver de Pyrrhus et plus encore du dramaturge qui l'enferme cruellement dans ce rôle de captive persécutée, est de prendre la place de Racine et de récrire la tragédie.

Tout en marchant, Léopold se laissa distraire de sa colère par le souvenir d'Andromaque. Ces gens qui tournaient autour de la veuve d'Hector, ce n'était pas du monde bien intéressant non plus. Des rancuniers qui ne pensaient qu'à leurs histoires de coucheries. Comme disait la veuve : « Faut-il qu'un si grand cœur montre tant de faiblesse ? » Quand on a affaire à une femme si bien, songeait-il, on ne va pas penser à la bagatelle. Lui, Léopold, il aurait eu honte surtout que les femmes, quand on a un peu d'argent, ce n'est pas ce qui manque. Il se plut à imaginer une évasion dont il était le héros désintéressé. Arrivant un soir au palais de Pyrrhus, il achetait la complicité du portier et, la nuit venue, s'introduisait dans la chambre d'Andromaque. La veuve était justement dans les larmes, à cause de Pyrrhus qui lui avait encore cassé les pieds pour le mariage. Léopold l'assurait de son dévouement respectueux, promettant qu'elle serait bientôt libre sans qu'il lui en coûte seulement un sou et finissant par lui dire : « Passez-moi Astyanax, on va filer en douce. » Ces paroles, il les répéta plusieurs fois et y prit un plaisir étrange, un peu troublant. « Passez-moi Astyanax, on va filer en douce. » Il lui semblait voir poindre comme une lueur à l'horizon de sa pensée. Soudain, il s'arrêta au milieu de la rue, son cœur se mit à battre avec violence, et il récita lentement :

Passez-moi Astyanax, on va filer en douce.

Incontestablement, c'était un vers, un vrai vers de douze pieds. Et quelle cadence. Quel majestueux balancement « Passez-moi Astyanax… » Léopold, ébloui, ne se lassait pas de répéter son alexandrin et s'enivrait de sa musique. Cependant, la rue n'avait pas changé d'aspect. Le soleil continuait à briller, les ménagères vaquaient à leur marché et la vie suivait son cours habituel comme s'il ne s'était rien passé. Léopold prenait conscience de la solitude de l'esprit en face de l'agitation mondaine, mais au lieu de s'en attrister, il se sentait fier et joyeux [1].

Pyrrhus, Hermione et Oreste ne sont pas « du monde bien intéressant », tout occupés à leurs « histoires de coucheries » ; Léopold ne fait que reformuler (à sa manière fleurie) les observations de Subligny, de Saint-Évremond et de Boileau [2] : même critique du privilège donné à la passion amoureuse, même critique du « caractère » des personnages, en particulier de Pyrrhus, indigne d'un héros. La réécriture qu'imagine alors Léopold consiste à introduire un « héros désintéressé » (lui-même), caractérisé par « son dévouement respectueux », dans une tragédie qui en manque cruellement : en somme, un héros cornélien, magnanime et généreux. Léopold esquisse ainsi une *Andromaque* de Corneille, comme Subligny dans *La Folle Querelle* – même si, en matière de vers, Léopold a moins de métier que l'auteur de *Cinna*. Cette *Andromaque* améliorée se précise à la faveur d'une rêverie ultérieure du personnage.

Tournant le dos à sa femme, il se remit à la poursuite de l'inspiration. Bien qu'il n'eût pas réussi encore à accoucher de son deuxième vers, le cafetier n'avait aucune inquiétude. Il n'avait qu'à se recueillir un instant pour sentir en lui une présence obscure et frémissante. Tantôt dans la tête, tantôt dans la poitrine, c'était une force qui travaillait sourdement à la recherche d'une échappée. Parfois, il avait si vivement l'impression qu'elle allait jaillir en une source d'harmonie qu'il faisait un pas en avant comme pour la rattraper, mais la chose restait à l'intérieur. Léopold n'en était d'ailleurs nullement découragé, au contraire. Cette poussée s'exerçant du dedans et qui

---

1. Marcel Aymé, *Uranus*, © Gallimard, 1948 ; rééd. Gallimard, « Folio », 1972, p. 62-64.
2. Voir Dossier, 2, 3 et 5.

venait lui battre aux tempes et à la gorge était à elle seule un plaisir. Dans l'attente exaltante du jaillissement, il remuait des idées en place. Mince et flexible dans sa robe de deuil, Andromaque levait sur son sauveur des yeux remplis d'une douceur humide. Au-dessus du berceau de l'enfant endormi, une photo d'Hector était accrochée au mur avec un rameau de buis. Dehors il faisait clair de lune. Pyrrhus prenait le frais dans la cour du palais, qui ressemblait exactement à la cour du Palais de Justice de Blémont, détruit par le bombardement. Moulée dans un costume de dompteuse, avec des bottines de cuir rouge lacées jusqu'aux jarrets, Hermione se cachait derrière un tilleul et regardait son fiancé en grinçant des dents. Oreste, caché lui-même derrière un autre tilleul, la dévorait du regard et il y avait un peu de fumée qui lui sortait des yeux et des narines. Léopold comprenait assez bien la passion d'Oreste. Pour sa part, bien qu'il réservât toute sa sympathie et son estime à la veuve d'Hector, il se sentait très attiré par Hermione qui avait le privilège de lui mettre le sang en mouvement. Il comptait même la rencontrer au bout d'une centaine de vers et s'avouait déjà qu'avec elle, il en irait autrement qu'avec Andromaque [1].

Comme Fourest – mais involontairement –, Léopold multiplie les anachronismes, qui rendent l'univers d'*Andromaque* plus proche et plus perméable. Il envisage une nouvelle scène, où il rencontrerait Hermione (non sans éventuelles infractions aux bienséances), et se donne un rôle semblable à celui de Pyrrhus, devant choisir entre deux femmes – à ceci près que le dilemme de Léopold ne serait pas entre la passion et le devoir, mais entre une passion charnelle et un amour dévoué qui s'accorderait avec le devoir de libérer une captive persécutée. Nul doute que Léopold ne vainque sa passion pour choisir Andromaque : c'est un héros maître de soi que compose Léopold, corrigeant le Pyrrhus de Racine. Aussi n'évoque-t-il plus qu'Andromaque par la suite :

> Un peu oubliée pendant les dernières vingt-quatre heures, [Andromaque] surgissait dans un décor familier, telle qu'il la voyait d'ordinaire dans sa robe de 1900, avec les manches à gigot et la chaîne de montre en sautoir. Il sentit dans ses veines se rallumer la fièvre créatrice. Un moment, il se concentra, la tête entre les poings, les yeux agrandis, fixés sur une mousse de lumière qu'accrochait le rebord du zinc. Prenant un crayon et une feuille de papier, il commença par écrire les trois vers qu'il avait déjà faits. Le dimanche matin, le café ouvrait tard. Léopold avait devant lui deux heures de tranquillité

---

1. Marcel Aymé, *Uranus, op. cit.*, p. 117-118

absolue. Andromaque était là, si proche, si vraie, qu'il lui semblait entendre sa confidence. En une heure, il eut écrit deux nouveaux vers. Le troisième lui vint plus lentement, mais ce fût celui qui lui donna le plus de satisfaction. L'ensemble se présentait ainsi :

LÉOPOLD

Passez-moi Astyanax, on va filer en douce.
Attendons pas d'avoir les poulets à nos trousses.

ANDROMAQUE

Mon Dieu, c'est-il possible. Enfin voilà un homme !
Voulez-vous du vin blanc ou voulez-vous du rhum ?

LÉOPOLD

Du blanc.

ANDROMAQUE

C'était du blanc que buvait mon Hector
Pour monter aux tranchées, et il avait pas tort.

Arrivé là, Léopold resta longtemps le crayon en l'air. Il aurait voulu faire entendre à Andromaque qu'il avait lui-même fait la guerre en 1914, sans toutefois se donner des airs trop avantageux [1].

Anachronisme mis à part – Léopold croit que le conflit dans lequel Hector a trouvé la mort est bel et bien la Première Guerre mondiale –, manifester sa bravoure militaire caractérise assez bien l'héroïsme d'un héros de tragédie. Mais Léopold ne veut pas se vanter de ses faits d'armes auprès d'Andromaque : on appréciera le héros « honnête homme » qu'il s'efforce d'être, selon les vœux d'un Subligny.

On regrette que Léopold ne soit allé plus loin dans la réécriture cornélienne d'*Andromaque* : interrompu par des gendarmes qui viennent l'arrêter, il résiste et se fait tuer. Gérard Genette a esquissé les modifications que ce début de récriture aurait entraînées sur la suite de l'action de la tragédie :

Cette continuation se fait correction, car Léopold entend bien, s'étant introduit dans l'intrigue d'*Andromaque*, en trancher le fil par son intervention inopinée : Andromaque échappera sans doute aux instances de Pyrrhus, qui se rabattra peut-être sur Hermione, qui échappera par là même à Oreste, qui dans tous les cas devient fou. Après quoi elle (Andromaque) décidera d'elle-même si elle doit ou

---

1. *Ibid.*, p. 349-350.

non, et comment, récompenser son sauveur. Mais cette correction reste inachevée, par le fait des gendarmes et la mort de Léopold, qui restitue Andromaque à son sort de captive et Astyanax à son avenir incertain. Correction avortée, donc, et retour au destin racinien, qui [...] finit par s'accomplir là où on ne l'attendait plus, *Andromaque* s'étant simplement offert, au passage, une victime de plus[1].

La réécriture de Léopold s'élabore à partir de ce qui paraît, à ses yeux comme à ceux de lecteurs du XVIIe siècle, un manque dans la tragédie de Racine, qui ne compte pas de héros à la hauteur du genre tragique et du personnage d'Andromaque. C'est ce vide que Léopold cherche à combler ; à moins que ce ne soit ce vide même qui soit à l'origine de son amour. Il y a en tout cas une place dans la tragédie pour que s'immisce le désir du lecteur et même ses interventions sous forme de réécritures mais aussi, plus discrètement, de commentaires.

CRITIQUE AMOUREUSE ET RÉÉCRITURE

ALBERT THIBAUDET, « HERMIONE SANS PARADOXE » (1934)

Si Léopold est amoureux d'Andromaque et récrit la tragédie pour la sauver, certains critiques donnent parfois le sentiment d'être amoureux d'Hermione et de chercher à la sauver en la réhabilitant dans leurs interprétations. Albert Thibaudet (1874-1936), en réponse à l'ouvrage de la comédienne Béatrix Dussane, qui affirmait qu'Hermione était une « coquette[2] », a ainsi donné un éloge d'Hermione, de même qu'il existe depuis l'Antiquité des éloges d'Hélène. Éloge apparemment paradoxal aussi, et à ce titre animé sans doute par une passion plus forte que le seul souci de la vérité. Pour réhabiliter Hermione, il faut commencer par accabler Andromaque : qu'on soit personnage de la tragédie (Pyrrhus) ou lecteur (Léopold ou Thibaudet), on ne peut décidément aimer les deux à la fois.

[...] je suis effrayé par ce superlatif de Mme Dussane : « La plus terrible coquette de tout notre répertoire, ce n'est pas Célimène[3], c'est Hermione. »

1. Gérard Genette, *Palimpsestes, op. cit.*, p. 211.
2. Béatrix Dussane, *Le Comédien sans paradoxe*, Plon, 1933.
3. Personnage de jeune veuve, authentiquement « coquette », du *Misanthrope* de Molière (1666).

Il y avait autrefois un problème célèbre de la coquetterie dans *Andromaque*. Mais il concernait Andromaque. C'était le problème de la coquetterie vertueuse, que tout exégète de Racine devait aux mânes de M. Nisard [1] de discuter. À la vérité le mot n'était pas de Nisard, mais de Geoffroy [2]. Et à la vérité plus vraie encore, il n'était pas de Geoffroy, il est d'Hermione. Hermione a repéré mieux encore que ces deux critiques ce qu'on peut à tort ou à raison voir de coquetterie en Andromaque. Cléone lui fait observer qu'Andromaque n'a jamais cherché l'amour de Pyrrhus :

> Vous pensez que des yeux toujours ouverts aux larmes
> Se plaisent à troubler le pouvoir de vos charmes,
> Et qu'un cœur accablé de tant de déplaisirs
> De son persécuteur ait brigué les soupirs ? [v. 449-452, II, 1]

– Ma pauvre Cléone, que tu es naïve ! Tu parles là en institutrice. Cette veuve avec ses larmes est la plus redoutable et la plus rusée des coquettes. D'ailleurs, toutes les veuves sont coquettes. Il le faut bien : dans la lutte des femmes et des filles, c'est leur arme contre nous. Il faut du temps pour s'en instruire. Agnès [3] n'est pas coquette. Crois-tu que Célimène l'était à mon âge ? Non. Elle l'est devenue, quelque temps après les vingt ans qu'elle avoue, comme elle deviendra prude quand elle en avouera trente-neuf. Moi, je suis, comme Agnès, trop jeune pour être coquette. Mais cette Troyenne les connaît, les hommes, les idiots d'hommes, elle sait fuir vers les saules de son faux Scamandre, l'Asiatique !

> Je n'ai point du silence affecté le mystère :
> Je croyais sans péril pouvoir être sincère ;
> Et sans armer mes yeux d'un moment de rigueur,
> Je n'ai pour lui parler consulté que mon cœur [v. 457-460, II, 1].

Et, au risque d'être, comme Cléone, un peu naïf, je crois bien que la pauvre fille dit vrai, absolument vrai. Je penserai même, si l'on veut, sur les traces de M. Nisard, et comme Hermione, à quelque coquetterie d'Andromaque (je laisse en tout cas la question pen-

---

1. « C'est sa vertu même qui apprend [à Andromaque] l'influence de ses charmes, et qui lui inspire la pensée d'en user. J'appellerais cela une coquetterie vertueuse... » (Désiré Nisard, *Histoire de la littérature française*, t. III, Firmin-Didot, 1844-1861, p. 31-32).
2. « Andromaque [...] a même cette coquetterie décente et noble, qui s'allie si bien dans les femmes à la plus grande sévérité ; elle a, si l'on peut parler ainsi, la coquetterie de la vertu, le plus puissant et le plus séducteur de tous les genres de la coquetterie » (Julien Louis Geoffroy, *Cours de littérature dramatique*, t. II, Pierre Blanchard, 1819, p. 13-14).
3. Jeune héroïne ingénue de *L'École des femmes* de Molière (1662).

dante). Mais je me demande si Racine n'a pas voulu expressément, dans cette Hermione passionnée, illogique, toujours nature, ne consultant jamais que ce cœur contradictoire, démesuré, torturé, créer en effet un climat de femme étrangère à toute coquetterie, comme on peut l'être, après tout, parfois, à quinze ans, comme les sportives de Sparte le seront : nudistes du corps ainsi qu'Hermione l'est du cœur [1].

Tandis que Béatrix Dussane voit dans les répliques d'Hermione qui imputent à sa rivale le désir de séduire Pyrrhus une erreur d'interprétation due à son aveugle jalousie, Thibaudet les prend au sérieux et les considère comme une exacte interprétation des véritables motivations d'Andromaque. C'est alors une *Andromaque* méconnue qu'il donne à lire, dans laquelle Hermione devient la véritable héroïne persécutée. Le critique ne fait qu'actualiser une des pièces possibles qu'esquissent certains discours passionnés d'Hermione (mais aussi de Pyrrhus ou d'Oreste) [2]. Il récrit à cette fin une tirade d'Hermione : dans le discours qu'il lui attribue, elle se peint en une nouvelle Agnès et Andromaque en une autre Célimène. Pyrrhus n'a peut-être pas lu de romans, comme l'écrivait Racine [3], mais cette nouvelle Hermione est une lectrice attentive de Molière. Thibaudet fait même d'elle une critique littéraire rivalisant avec les lecteurs professionnels que sont Nisard et Geoffroy. C'est qu'Hermione est déjà dans *Andromaque* une interprète (même discutable) des actions et des caractères des autres personnages. Le commentateur trouve ainsi en elle son double : on comprend qu'il éprouve au moins une profonde sympathie pour elle.

---

1. Albert Thibaudet, « Hermione sans paradoxes », *Nouvelle Revue française*, n° 248, mai 1934 ; rééd. dans *Réflexions sur la littérature*, *op. cit.*, p. 1512-1513.
2. Voir Présentation.
3. Première préface, p. 15.

CHRONOLOGIE

	REPÈRES HISTORIQUES ET CULTURELS	VIE ET ŒUVRES DE RACINE
1637	*Le Cid* de Corneille (né en 1606) suscite une importante querelle théâtrale.	
1638	Naissance de Louis XIV.	
1639		Naissance de Jean Racine. Sa famille est liée aux jansénistes de Port-Royal.
1640	Première d'*Horace*, douzième pièce de Corneille, suivie quelques mois après de *Cinna*, puis de *Polyeucte*.	
1641		Mort de la mère de Racine.
1642	(4 décembre) Mort de Richelieu.	
1643	(14 mai) Mort de Louis XIII et début de la régence, dominée par la personnalité de Mazarin.	Après la mort de son père, Racine est recueilli par ses grands-parents maternels.
1644	Première édition collective des *Œuvres* de Corneille, qui entre en 1647 à l'Académie française.	
1648-1652	Période de troubles politiques : la Fronde, contestation du pouvoir royal, qui s'achève avec l'exil de Mazarin (rappelé en février 1653). En 1649, Thomas Corneille, le jeune frère de Pierre, fait jouer sa première pièce : *Les Engagements du hasard* ; son *Timocrate* (1656) sera le plus grand succès théâtral du siècle.	

1649-1658	Nouvelle édition des *Œuvres* de Corneille (vingt pièces) en 1652.	Racine est élève aux Petites Écoles de Port-Royal (à l'exception de deux ans passés au collège de la ville de Beauvais), puis au collège d'Harcourt à Paris.
1657	*La Pratique du théâtre*, par l'abbé d'Aubignac (refonte d'un ouvrage rédigé vers 1640) : théorique, ce texte se fonde presque exclusivement sur les pièces de Corneille. Les deux auteurs vont bientôt se brouiller : d'Aubignac envisage une nouvelle édition de son ouvrage qui supprime tous les éloges adressés à Corneille, prépare des critiques et projette un nouveau chapitre pour condamner *Polyeucte* ; l'ouvrage ne fut jamais réédité.	
1659	Au cours d'une même soirée théâtrale, Molière joue ses *Précieuses ridicules* après *Cinna*, de Corneille (18 novembre).	

	REPÈRES HISTORIQUES ET CULTURELS	VIE ET ŒUVRES DE RACINE
1660	Mariage de Louis XIV avec Marie-Thérèse. Septième édition collective des *Œuvres* de Corneille (23 pièces en trois volumes) ; chaque pièce est précédée d'un *Examen* qui remplace les *Avis au lecteur*, et chacun des trois volumes s'ouvre sur un important *Discours théorique sur l'art dramatique*, où Corneille infléchit la doctrine aristotélicienne à l'aune de sa propre pratique.	L'entrée solennelle de la reine à Paris est célébrée par Racine dans une ode qui marque ses débuts littéraires et son premier succès mondain : *La Nymphe de la Seine à la Reine*. Il soumet sans succès aux comédiens du Marais une première tragédie dont on ne connaît plus que le titre : *Amasie*.
1661	Molière s'installe au Palais-Royal (jusqu'en 1673) où il doit bientôt partager la salle avec une troupe italienne. Mort de Mazarin. Début du règne personnel de Louis XIV.	
1661-1663		Séjour de Racine à Uzès dans l'espoir d'obtenir un bénéfice ecclésiastique. Premiers contacts avec la troupe de l'Hôtel de Bourgogne.
1663	En janvier est créée *Sophonisbe* de Corneille. D'Aubignac écrit ses deux *Dissertations en forme de remarques sur Sophonisbe et Sertorius* (précédente pièce de Corneille), suivies d'une *Dissertation concernant le poème dramatique en forme de remarques sur l'Œdipe* (autre pièce de Corneille créée en 1659).	Retour à Paris (sans bénéfice). Il fréquente le milieu littéraire, rencontre Molière, Boileau, est présenté à la cour. Il compose successivement deux odes : *Sur la convalescence du Roi* et *La Renommée des Muses*.

Année		
1664	Querelle de *L'École des femmes*, de Molière. Robinet, dans son *Panégyrique de L'École des femmes*, défend en même temps Corneille contre les attaques dont l'auteur tragique a été l'objet. En août, création d'*Othon* de Corneille.	(20 juin) Première de *La Thébaïde ou les Frères ennemis* de Racine par la troupe de Molière, au Palais-Royal (la pièce est éditée dès le 30 octobre). Racine est inscrit sur la liste des gratifications royales aux hommes de lettres.
		(4 décembre) Première d'*Alexandre le Grand*, par la troupe de Molière, au Palais-Royal. Mais, dès le 18 décembre, Racine fait également jouer sa pièce à l'Hôtel de Bourgogne. Brouille avec Molière qui interrompt les représentations.
1666	(20 février) Création d'*Agésilas* de Corneille.	Rupture de Racine avec Port-Royal ; *Lettre à l'auteur des Hérésies imaginaires* : Racine polémique avec son ancien maître, Nicole, qui venait de prononcer une condamnation des auteurs de théâtre.
1667	(4 mars) Représentation d'*Attila* de Corneille.	Le 17 novembre, première d'*Andromaque*, par la Troupe royale, en présence de la reine et du roi. La pièce triomphe ensuite à l'Hôtel de Bourgogne. Le rôle-titre est créé par la Du Parc que Racine vient d'arracher à la troupe de Molière.
1668	(25 mai) Molière monte *La Folle Querelle* de Subligny, où *Andromaque* se trouve tournée en dérision.	(Janvier ou février) Publication d'*Andromaque*. En novembre, première des *Plaideurs*, unique comédie de Racine.

	REPÈRES HISTORIQUES ET CULTURELS	VIE ET ŒUVRES DE RACINE
1669	(Juin) Saint-Évremond publie sa *Dissertation sur le Grand Alexandre* et déclenche la polémique entre partisans de Corneille et admirateurs de Racine. (Août) Publication de *La Folle Querelle ou la Critique d'Andromaque* de Subligny. (13 décembre) Mort de la Du Parc, à l'âge de trente-cinq ans.	(13 décembre) Première de *Britannicus*, à l'Hôtel de Bourgogne. Par cette première tragédie « romaine », il semble que Racine cherche à rivaliser avec Corneille dans son domaine de prédilection. Elle ne remporte pas le succès escompté. La préface de l'édition s'en prend au clan cornélien qui avait critiqué la pièce, et, à mots couverts, à Corneille lui-même.
1670	(28 novembre) Première de *Tite et Bérénice*, « comédie héroïque » de Corneille, par la troupe de Molière au Palais-Royal (en alternance avec *Le Bourgeois gentilhomme*) ; Corneille impute l'échec de sa pièce au jeu des acteurs. (31 décembre) Privilège de la *Critique de Bérénice* de l'abbé Montfaucon de Villars, qui est suivie peu après de la *Critique de Tite et Bérénice*.	(21 novembre) Première de *Bérénice* ; le rôle-titre est créé par la Champmeslé (née en 1642) qui fait ainsi ses débuts à l'Hôtel de Bourgogne, son mari jouant Antiochus.

	REPÈRES HISTORIQUES ET CULTURELS	VIE ET ŒUVRES DE RACINE
1675		Première édition collective des *Œuvres* de Racine en deux volumes. Textes et préfaces sont soigneusement remaniés.
1677	(3 janvier) Première de *Phèdre et Hippolyte* de Pradon, par la troupe du théâtre Guénégaud ; la pièce est rapidement éclipsée par celle de Racine.	(1er janvier) Première de *Phèdre*, sous le titre *Phèdre et Hippolyte*, à l'Hôtel de Bourgogne (éditée le 15 mars sous le titre *Phèdre*). Mariage de Racine avec Catherine de Romanet, dont il aura sept enfants (deux garçons et cinq filles). Automne : Racine renonce au théâtre. Il est nommé, avec Boileau, historiographe du roi.
1678		En mars et avril, Racine et Boileau suivent le roi pendant la campagne de Gand.
1679		Réconciliation avec Port-Royal. Racine est un moment soupçonné dans l'« affaire des poisons » : la Voisin l'accuse d'avoir empoisonné la Du Parc.
1680	Création de la Comédie-Française.	
1684	Mort de Corneille. Son frère Thomas lui succède à l'Académie.	
1685		Racine prononce l'éloge de Corneille à l'Académie française. *Idylle sur la paix*, sur une musique de Lulli, à l'occasion d'une fête donnée à Sceaux par le fils de Colbert.
1687		Deuxième édition collective des *Œuvres*.

C H R O N O L O G I E

1689	Première d'*Esther*, tragédie biblique commandée par Mme de Maintenon, à Saint-Cyr, en présence du roi. Racine en a dirigé les répétitions par les jeunes filles, élèves de la maison fondée par Mme de Maintenon. Grand succès mondain.
1690	Accède à la charge de gentilhomme ordinaire de la chambre du roi.
1691	Première d'*Athalie*, à Saint-Cyr, en présence du roi.
1693	Racine accompagne une nouvelle fois Louis XIV dans ses campagnes en tant qu'historiographe du roi. Querelle autour de deux fameux parallèles entre Corneille et Racine : celui de La Bruyère et celui de Fontenelle, neveu de Corneille.
1694-1699	Interventions en faveur de Port-Royal. Composition des *Cantiques spirituels*, et rédaction de l'*Abrégé de l'histoire de Port-Royal*, qui ne sera publié qu'au milieu du XVIIIe siècle. Ses relations avec le roi et Mme de Maintenon se dégradent.
1697	Troisième édition collective, revue, des *Œuvres*.
1699	(21 avril) Mort de Racine à Paris. Il est inhumé à Port-Royal, suivant ses volontés et par autorisation du roi. Après la destruction de Port-Royal sur ordre du même Louis XIV, sa dépouille a été transportée à l'église Saint-Étienne-du-Mont, à Paris, où il repose au côté de Pascal.

BIBLIOGRAPHIE

ŒUVRES DE RACINE

Racine, *Œuvres complètes*, t. I : *Théâtre. Poésie,* éd. Georges Forestier, Gallimard, « Bibliothèque de la Pléiade », 1999.
Racine, *Œuvres complètes*, t. II : *Prose*, éd. Raymond Picard, Gallimard, « Bibliothèque de la Pléiade », 1966.

SUR RACINE

OUVRAGES

Roland BARTHES, *Sur Racine*, Seuil, 1963 ; rééd. « Points », 2014.
Christian BIET, *Racine*, Hachette, 1996.
John CAMPBELL, *Questioning Racinian Tragedy*, Chapel Hill, University of North Carolina, 2005.
Jean-Christophe CAVALLIN, *La Tragédie spéculative de Racine*, Hermann, « Savoirs Lettres », 2014.
Gilles DECLERCQ, *Racine, une rhétorique des passions*, PUF, 1999.
Georges FORESTIER, *Jean Racine*, Gallimard, « NRF Biographies », 2006.
Peter FRANCE, *Racine's Rhetoric*, Oxford, Clarendon Press, 1965.
Lucien GOLDMANN, *Le Dieu caché*, Gallimard, 1955 ; rééd. « Tel », 1976.
Mitchell GREENBERG, *Racine. From Ancient Myth to Tragic Modernity*, Minneapolis, University of Minnesota Press, 2010.
Sylvaine GUYOT, *Racine et le corps tragique*, PUF, « Les Littéraires », 2014.

Georges MAY, *Tragédie cornélienne, tragédie racinienne. Étude sur les sources de l'intérêt dramatique*, Urbana, University of Illinois Press, 1949.

Charles MAURON, *L'Inconscient dans l'œuvre et la vie de Racine*, Gap, Ophrys, 1957.

Jacques MOREL, *Racine*, Bordas, 1992.

Jean ROHOU, *Racine. Bilan critique*, Nathan, « 128 », 1994.

Jean-Jacques ROUBINE, *Lectures de Racine*, Armand Colin, « U », 1971.

Jacques SCHÉRER, *Racine et/ou la cérémonie*, PUF, 1982.

Alain VIALA, *La Stratégie du caméléon*, Seghers, 1990.

Eugène VINAVER, *Racine et la poésie tragique*, Nizet, 1951.

ARTICLES

Erich AUERBACH, « Racine et les passions », *Le Culte des passions*, trad. D. Meur, Macula, « Argo », 1998, p. 35-50.

Gilles DECLERCQ, « Le lieu commun dans les tragédies de Racine : topique, poétique et mémoire à l'âge classique », *XVIIᵉ Siècle*, n° 150, 1986, p. 43-60.

–, « Représenter la passion : la sobriété racinienne », *Littératures classiques*, n° 11, 1989, p. 69-93.

–, « À l'école de Quintilien : l'hypotypose dans les tragédies de Racine », *Revue Op. Cit.*, Presses de l'université de Pau, n° 5, novembre 1995, p. 73-88.

Marc ESCOLA, « L'invention racinienne : l'action épisodique et l'art des variantes dans *Bérénice* et *Iphigénie* », dans *Racine et la Méditerranée*, dir. H. Baby et J. Émelina, Publications de la Faculté des lettres, arts et sciences humaines de Nice, 1999, p. 127-166.

Raymond PICARD, « Les tragédies de Racine : tragique ou comique ? », *Revue d'histoire littéraire de la France*, 1969, p. 462-474.

Georges POULET, « Notes sur le temps racinien », *Études sur le temps humain*, t. I, Plon, 1952 ; rééd. « Pocket », 2006, p. 148-165.

Leo SPITZER, « L'effet de sourdine dans le style classique : Racine » 1928, trad. A. Coulon, *Études de style*, Gallimard, 1970 ; rééd. « Tel », 1980, p. 208-235.

Jean STAROBINSKI, « Racine et la poétique du regard », *L'Œil vivant*, Gallimard, 1961 ; rééd. « Tel », 1999, p. 71-92.

OUVRAGES COLLECTIFS

Gilles DECLERCQ et Michèle ROSELLINI (dir.), *Jean Racine, 1699-1999. Actes du colloque du tricentenaire (25-30 mai 1999)*, PUF, 2003.

Jean-Pierre LANDRY et Olivier LEPLATRE (dir.), *Présence de Racine*, Lyon, CEDIC, 1999.

Bénédicte LOUVAT et Dominique MONCOND'HUY (dir.), *Racine poète. La Licorne*, vol. 50, 1999.

Ronald W. TOBIN (dir.), *Racine et/ou le classicisme. Actes du colloque de la North American Society for Seventeenth Century French Literature, University of California Santa Barbara (1999)*, Tübingen, Gunter Narr Verlag, 2001.

Ronald W. TOBIN et Angus J. KENNEDY (dir.), *Changing Perspectives : Studies on Racine in Honor of John Campbell*, Charlottesville Rockwood, 2012.

SUR LA TRAGÉDIE AU XVIIᵉ SIÈCLE

Christian BIET, *La Tragédie*, Armand Colin, « Cursus », 1997.

Christian DELMAS, *La Tragédie de l'âge classique (1553-1770)*, Seuil, « Écrivains de toujours », 1994.

Marc ESCOLA et Bénédicte LOUVAT, « Le statut de l'épisode dans la tragédie classique : *Œdipe* de Corneille ou le complexe de Dircé », *XVIIᵉ Siècle*, nº 200, juillet-septembre 1998, p. 453-470.

Georges FORESTIER, *Essai de génétique théâtrale. Corneille à l'œuvre*, Klincksieck, « Esthétique », 1996 ; rééd. Genève, Droz, « Titre courant », 2004.

–, *La Tragédie française. Passions tragiques et règles classiques*, Armand Colin, « U », 2010.

Emmanuelle HÉNIN, « Le plaisir des larmes, ou l'invention d'une *catharsis* galante », *Littératures classiques*, nº 62, 2007, p. 223-244.

Littératures classiques, 16, printemps 1992 : *La Tragédie*.

Bénédicte LOUVAT, *Poétique de la tragédie classique*, SEDES, « Campus », 1997.

Jacques SCHÉRER, *La Dramaturgie classique en France*, Nizet, 1950.

SUR *ANDROMAQUE*

Ralph ALBANESE, « La poétique de l'espace dans *Andromaque* », *Australian Journal of French Studies*, XXXII, 1995, p. 6-18.

Christian AMAT, « Le thème de la vision dans l'*Andromaque* de Racine », *Revue des sciences humaines*, n° 152, octobre-décembre 1973, p. 645-654.

Hélène BABY, « Racine sait-il composer ? De l'unité d'action dans la tragédie racinienne », in *Jean Racine 1699-1999*, dir. Gilles Declercq et Michèle Rosellini, PUF, 2003, p. 81-98.

Harry T. BARNWELL, « Racine's *Andromaque* : new myth for old », in *Myth and its making in the French Theatre. Studies presented to W.D. Howarth*, dir. E. Freeman, H. Mason, M. O'Reagan, S.W. Taylor, Cambridge, Cambridge University Press, 1988, p. 57-70.

Paul BÉNICHOU, « Andromaque captive puis reine », in *L'Écrivain et ses travaux*, José Corti, 1967, p. 207-236.

Christian BIET, « Dans la tragédie, la traduction n'existe pas : l'empilement des références dans *Andromaque* », *Littératures classiques*, n° 13, 1990, p. 223-237.

Georges COUTON, « Mélancolie d'Oreste », in *Thèmes et genres littéraires en France aux XVIIe et XVIIIe siècles. Mélanges en l'honneur de Jacques Truchet*, dir. Nicole Ferrier-Caverivière, PUF, 1992, p. 333-339.

–, « Pour sauver Astyanax », in *L'Art du théâtre. Mélanges en l'honneur de Robert Garapon*, dir. Y. Bellenger, PUF, 1992, p. 263-275.

Patrick DANDREY, « Le dénouement d'Andromaque ou l'éloge de la régence », in *Diversité c'est ma devise*. Studien zur französische Literatur des 17. Jahrhunderts Festschrift für Jürgen Grimm zum 60. Geburstag, Paris, Seattle, Tübingen, Biblio 17, PFSCL, 1994, p. 135-145.

Gérard DEFAUX, « Culpabilité et expiation dans l'*Andromaque* de Racine », *Romanic Review*, n° 68, janvier 1977, p. 22-31.

Christian DELMAS, « À propos d'un compte-rendu : l'interprétation d'*Andromaque*, acte IV, scène 5 », *Cahiers de littérature du XVIIe siècle*, 1981, p. 152-159 ; repris dans *Mythologie et mythe dans le théâtre français*, Genève, Droz, 1985, p. 211-22.

Marc DOUGUET, « Suspendu au bord de la falaise. Entracte et effet d'attente », communication à la journée d'étude

« L'effet propre de la tragédie, de l'humanisme aux Lumières » (organisée par Marc Douguet, Ouafae El Mansouri et Servane L'Hôpital), Université Paris 8, 29 septembre 2012. Texte disponible en ligne.

Marc ESCOLA, « Le sixième acte. Les seconds amants du théâtre classique », in *La Lettre et la scène : linguistique du texte de théâtre*, dir. C. Despierres, H. Bismuth, M. Krazem et C. Narjoux, Éditions universitaires de Dijon, « Langages », 2009, p. 149-158.

Georges FORESTIER, « Écrire *Andromaque*. Quelques hypothèses génétiques », *Revue d'histoire littéraire de la France*, 1998, n° 1, p. 43-62.

Peter FRANCE, *Racine : Andromaque*, Londres, Arnold, 1977.

Christopher J. GOSSIP, « Oreste, "amant imaginaire" », *Papers on French Seventeenth Century Literature*, XX, n° 39, 1993, p. 353-367.

H.G. HALL, « Pastoral, epic and dynastic dénouement in Racine's *Andromaque* », *Modern Language Review*, n° 69, I, janvier 1974.

Timothy HAMPTON, « The tragedy of delegation : diplomatic action and tragic form in Racine's *Andromaque* », *Journal of Medieval and Early Modern Studies*, hiver 2008, 38 (1), p. 57-78 ; rééd. in Timothy Hampton, *Fictions of Embassy. Literature and Diplomacy in Early Modern Europe*, Ithaca, Cornell University Press, 2009, p. 163-188.

Robert W. HARTLE, « Symmetry and Irony in Racine's *Andromaque* », *L'Esprit créateur*, XI, 2, été 1971, p. 46-58.

Emmanuelle HÉNIN, « Racine : un auteur à la mode ? », in *Les Querelles dramatiques à l'âge classique*, dir. E. Hénin, Louvain, Peeters, « La République des lettres », 2010, p. 61-84.

Judd D. HUBERT, « Le triomphe symbolique d'Hector », *French Review*, mai 1954, p. 446-452.

Roy C. KNIGHT, « Brûlé de plus de feux », *Studies offered to R. L. G. Ritchie*, Cambridge, 1949, p. 107-118.

François LECERCLE, « Réécriture racinienne du crime et réécriture d'un crime racinien : *Andromaque* et ses adaptations anglaises », *Littératures classiques*, n° 67, 2009, p. 147-170.

Bénédicte LOUVAT, « Le vocabulaire à l'épreuve de la langue : l'exemple d'*Andromaque* », *Racine poète. La Licorne*, vol. 50, 1999, p. 323-342.

Ian MCFARLANE, « Reflections on the variants in *Andromaque* », *Form and Meaning. Aestethic coherence in XVII*[th] *Century French Drama*, dir. William D. Howarth, Ian Mc Farlane, Margaret Mc Gowan, Amersham, Avebury, 1982, p. 99-114.

Milorad R. MARGITIE, « *Andromaque* ou la lecture des signes : étude de l'ironie tragique », *Papers on French Seventeenth Century Literature*, été 1979.

Wolfgang MATZAT, « La rhétorique de l'amour-propre : actes de paroles et structures dialogiques dans l'*Andromaque* de Racine », *Travaux de linguistique et de philologie*, n° 23-24, 1995-1996, p. 277-289.

Alain NIDERST, « Ronsard, *Andromaque* et *Attila* », *Travaux de littérature*, vol. 4, 1991, p. 117-126.

Jean POMMIER, « Brûlé de plus de feux… », *Mélanges Daniel Mornet*, 1951, p. 83-89.

–, *Tradition littéraire et modèles vivants dans l'Andromaque de Racine*, Londres, Cambridge University Press, 1962.

Gilles REVAZ, « La "veuve captive" » dans la tragédie classique », *Revue d'histoire littéraire de la France*, 2001, n° 2, p. 213-226.

Jean ROHOU, « De *Pertharite* à *Andromaque* : enseignements d'une comparaison », *Papers on French Seventeenth Century Literature*, n° 52, 2000, p. 57-84.

–, *Jean Racine. Andromaque*, PUF, « Études littéraires », 2000.

Antoine SOARE, « La triple mort de Pyrrhus ou *Andromaque* entre le baroque et le classicisme », *Papers on French Seventeenth Century Literature*, n° 20, 1984, p. 139-166.

Albert THIBAUDET, « Les larmes de Racine », *Nouvelle Revue française*, n° 224, mai 1932, p. 890-900 ; rééd. in *Réflexions sur la littérature*, éd. A. Compagnon et Chr. Pradeau, Gallimard, « Quarto », 2007, p. 1432-1443.

–, « Hermione sans paradoxes », *Nouvelle Revue française*, n° 248, mai 1934, p. 837-846 ; rééd. in *Réflexions sur la littérature*, *op. cit.*, p. 1506-1516.

Han VERHOEFF, « Troie, thème et structure dans *Andromaque* », *Relectures raciniennes. Nouvelles approches du discours tragique*, dir. Richard L. Barnett, Paris-Seattle-Tübingen, PFSCL, « Biblio 17 », 1986, p. 229-251.

Alain VIALA, « Racine et la carte de Tendre », *Racine poète. La Licorne*, n° 50, 1999, p. 369-387.

Jacques VIER, « *Andromaque* ou la tragédie des âmes du Purga-toire », *L'Homme nouveau*, 20 septembre 1987.

Gabriella VIOLATO, « Scènes de "première vue" dans le théâtre tragique de Racine. L'exemple d'*Andromaque* », *Cahiers de littérature française*, IV, *Racine*, dir. Gabriella Violato et Francesco Fiorentino, 2007.

Jean-Claude VUILLEMIN, « Troie/Buthrote : problématique de l'origine dans *Andromaque* », *Australian Journal of French Studies*, n° 27, 1990, p. 3-16.

–, « Éros tragique. Transgression et subversion de l'éthique amoureuse dans *Andromaque* », *Poétique*, n° 105, 1996, p. 87-100.

Harald WEINRICH, « Les variations de la "chaîne amoureuse" et l'*Andromaque* de Racine », *Conscience linguistique et lectures littéraires*, trad. Daniel Malbert, Éditions de la Maison des sciences de l'homme, 1989, p. 63-77.

GLOSSAIRE

Les définitions qui figurent entre guillemets sont empruntées au *Dictionnaire* de Furetière (1690).

ABORD (D') : Tout de suite, d'emblée.

ADMIRER : S'étonner (v. 1130).

ALARMES : Appréhensions, angoisses.

AMANT : Amoureux, soupirant, qui n'est pas nécessairement aimé en retour. Peut aussi désigner celui qui est aimé, et qui n'aime pas nécessairement en retour (v. 126 et 727).

AMITIÉ : « Affection qu'on a pour quelqu'un. » « Se dit aussi en matière d'amour » (v. 545 et 903).

ARRÊT : Décision, jugement.

ARTIFICE : « Fraude, déguisement, mauvaise finesse. »

ASSERVI : Au sens figuré, soumis à la passion.

BRÛLER : Au sens figuré, aimer avec passion.

CHARMANT : « Qui plaît extraordinairement, qui ravit en admiration. »

CHARME : « Se dit figurément des agréments ; de ce qui plaît extraordinairement, qui nous ravit en admiration » (à partir du sens littéral : « puissance magique par laquelle [...] les sorciers font des choses merveilleuses, au-dessus des forces, ou contre la nature »).

CHARMER : « Plaire extraordinairement. »

COUP : Action importante (v. 147, 239, 801, 836, 1297 et 1551).

COURAGE : Bravoure (v. 1018 et 1342). Cœur (v. 1239, 1475 et 1497).

CRUAUTÉ : « Se dit figurément en choses morales, et surtout dans les expressions amoureuses, et signifie, Dureté, rigueur, insensibilité », indifférence – parfois insolente – à l'amour.

CRUEL : « Se dit aussi des choses qui sont simplement rudes, fâcheuses. Les amants disent que [...] leur maîtresse est cruelle, quand elle ne satisfait pas à tous leurs désirs ».

DÉPLAISIR : Souffrance violente.

DOUTE (SANS) : Sans aucun doute.

ENNUI : Profonde souffrance.

FERS : Au sens propre, chaînes de la captivité ; au sens figuré, liens amoureux.

FEU : Au sens figuré, sentiment passionné.

FIDÈLE : « Qui garde la foi qu'il a promise, celui qui fait bien son devoir. »

FIERTÉ : « Signifie une sévérité charmante, des manières dédaigneuses, mais nobles et engageantes » (v. 914). Cruauté (v. 1448).

FLAMME : Au sens figuré, amour ardent.

FLATTER : Satisfaire, rendre heureux (v. 107, 686, 737 et 871). Bercer d'illusions (v. 83, 658 et 1149). Féliciter (v. 144 et 1531).

FLÉCHIR : « Apaiser, adoucir, toucher. La rhétorique a le pouvoir de *fléchir* les cœurs les plus barbares. »

FOI : « Fidélité, assurance, promesse, serment, parole qu'on donne de faire quelque chose, et de l'exécuter. »

FORTUNE : Sort, destin ; naissance (v. 913).

FUNESTE : « Qui cause la mort, ou qui en menace. »

FUREUR : « Emportement violent causé par un dérèglement d'esprit et de la raison », semblable à un accès de démence (du latin *furor*).

FURIE : « Se dit [...] de certaines divinités infernales, que les poètes païens feignaient entrer dans les corps des hommes pour les posséder et les tourmenter. Oreste était agité de *Furies*, croyait voir deux Thèbes et deux soleils. ... On dit figurément d'une méchante femme, que c'est une *Furie* d'Enfer, que c'est une Mégère. »

FURIEUX : En proie à un emportement violent.

GÊNER : Torturer.

GLOIRE : Honneur, réputation.

INFIDÈLE : « Qui manque de foi, qui trahit ; qui n'exécute point les choses qu'il a promises ou jurées. »

INFIDÉLITÉ : « Trahison ; manquement à ce qu'on a promis, ou juré. »

INGRAT/ INGRATE : « Se dit aussi de celui qui reconnaît mal les faveurs qu'il a reçues d'une femme ; qui répond mal à sa bonté, et à ses tendresses. » « Cruelle, indifférente ; celle qui n'a que de la froideur pour son amant ».

INGRATITUDE : Froideur, indifférence de l'être aimé.

INHUMAIN : Indifférent, insensible à l'amour d'autrui.

INJURE : « Se dit aussi des affronts, des torts et dommages qu'on fait à une personne par voies de fait. »

IRRITER : « Exciter, rendre plus vif et plus fort. »

MÉPRIS : Indifférence amoureuse.

MURMURE : Protestation.

PERDRE : Mener quelqu'un à sa perte, à sa mort.

PERFIDE : Qui trahit, qui manque à sa parole.

PERFIDIE : « Manque de foi, de parole ; trahison. »

PRÉVENIR : Devancer.

QUERELLE : « L'intérêt d'autrui, quand on en prend la défense. »

RIGUEUR : « On dit aussi les *rigueurs* d'une maîtresse, pour dire, sa sévérité, le refus qu'elle fait de son cœur, de ses faveurs » à celui qui l'aime. Hostilité acharnée (v. 307).

SANG : Race, parenté (v. 1122).

SOIN : Fait de s'occuper de quelqu'un ou de quelque chose avec application, diligence (v. 4, 166, 244, 310, 349, 379, 506, 511, 767, 805, 879, 944, 1103, 1183, 1238, 1482, 1553 et 1615). « Se dit aussi des soucis, des inquiétudes qui émeuvent, qui troublent l'âme » (v. 62, 174, 195, 919, 1060, 1080 et 1457). « Se dit de l'attachement particulier qu'on a pour une maîtresse, des services qu'on lui rend pour lui plaire » (v. 321, 501, 1252 et 1559).

SUCCÈS : Issue, résultat.

TÉMOIN : Témoignage, preuve.

TRANSPORT : Émotion violente.

TRISTE : « Affligé, abattu de douleur, par quelque perte, ou accident qui est arrivé ; qui est d'un tempérament ou d'une humeur sombre, et mélancolique. »

VŒU : « Souhait, désir. » « Hommage, soins amoureux. »

TABLE

___

Andromaque

Mise en page par Meta-systems
59100 Roubaix

Imprimé par Maury Imprimeur
à Malesherbes (Loiret)
en avril 2015